·CREA TU PROPIO NEGOCIO·

LA EMPRESA EN CA$A

PANADERÍA · CONSERVAS · PASTELERÍA

CONVIERTE TU TIEMPO LIBRE
EN DINERO

EDICIONES DALY

© LA EMPRESA EN CASA
Panadería - Conservas - Pastelería

Dirección Editorial
Hugo Quiroga Capovilla

Coordinación Técnica
David Fernández García

Secretaria de Dirección
Juçara Xavier De Souza

Diagramación
Guillermo Novomiast

Diseño Gráfico
Diego Quiroga
Guillermo Novomiast

Fotografía y textos
Equipo Editorial H.Q.

Fotografía adicionales
Shutterstock

I.S.B.N.
978.84.95818.81.2

Depósito Legal
MA-661-2011

Impreso en España

EDICIÓN 2011

www.edicionesdaly.es

·CREA TU PROPIO NEGOCIO·

LA EMPRESA EN CA$A

PANADERÍA · CONSERVAS · PASTELERÍA

CONVIERTE TU TIEMPO LIBRE EN DINERO

EDICIONES DALY

Prólogo

La elaboración artesanal de **pasteles, panes y conservas** resulta una actividad ideal para iniciar **un exitoso negocio comercial.** Por un lado, casi todo el mundo los consume a diario. Por otro, las materias primas que hacen falta para iniciarse no requieren una inversión realmente importante.

Por eso, si Usted es aficionada/o a la cocina y esta pensando en hacer de esta afición un negocio rentable, encontrará en este rubro una posibilidad más que **interesante.** Sin embargo nunca pierda de vista que los empresarios exitosos no son aquellos que sólo tienen los mejores productos, sino también aquellos que saben manejarse comercialmente.

En este práctico libro de la colección **La Empresa en Casa** hemos reunido a renombrados **profesionales** que le brindarán las mejores recetas para realizar pasteles, tartas, galletas, cuadrados, panes, bizcochos, conservas, salsas, mermeladas y licores. Además, todas las técnicas y secretos para que todas sus preparaciones resulten un éxito. Así como propuestas para reuniones de cumpleaños, desayunos empresariales, meriendas y eventos de todo tipo, explicadas con fotografías **paso a paso**, a todo color.

Un curso que brinda información detallada sobre todo lo que Usted debe tener en cuenta antes de **iniciar un negocio y ganar dinero.** Casos exitosos, **estrategias** para superar los obstáculos, ideas para bajar costos y todo lo que deberá poner en práctica si desea **crear y hacer crecer una empresa.**
Si otros lo lograron, ¿por qué Usted no? Ahora sólo resta buscar el delantal de cocina y animarse a poner en práctica las recetas que le presentamos en las siguientes páginas, familiarizarse con los **aspectos comerciales** que explicamos en el suplemento y, **¡empezar a trabajar en lo que realmente le gusta!**

Los editores

Contenidos

Como usar este libro

En esta sección usted encontrará una guía completa acerca de los contenidos incluidos, con fotos de las páginas y explicaciones breves que le permitirán sacarle el máximo provecho.

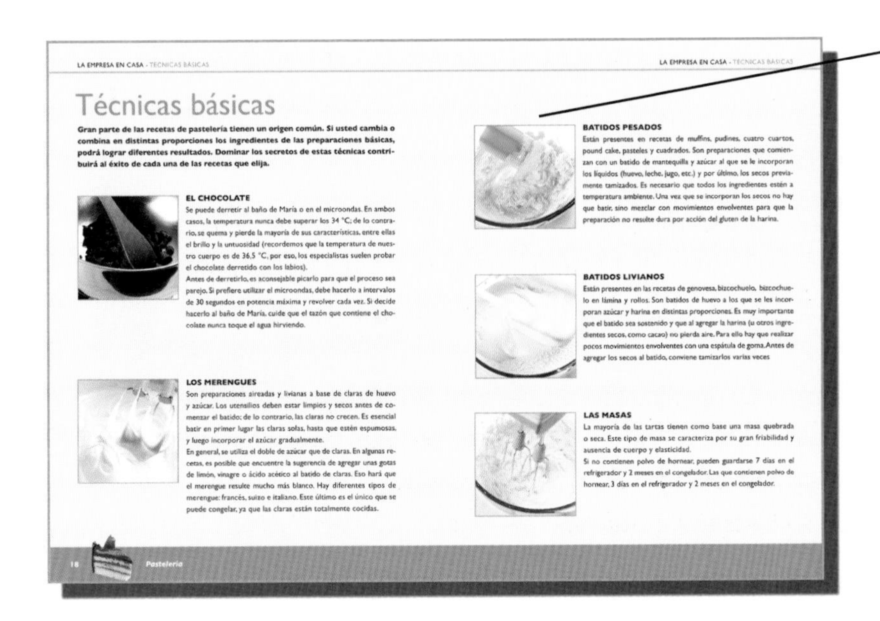

LA EMPRESA EN CASA - TÉCNICAS BÁSICAS

Técnicas básicas

Gran parte de las recetas de pastelería tienen un origen común. Si usted cambia o combina en distintas proporciones los ingredientes de las preparaciones básicas, podrá lograr diferentes resultados. Dominar los secretos de estas técnicas contribuirá al éxito de cada una de las recetas que elija.

EL CHOCOLATE
Se puede derretir al baño de María o en el microondas. En ambos casos, la temperatura nunca debe superar los 34 °C; de lo contrario, se quema y pierde la mayoría de sus características, entre ellas el brillo y la untuosidad (recordemos que la temperatura de nuestro cuerpo es de 36,5 °C, por eso, los especialistas suelen probar el chocolate derretido con los labios).
Antes de derretirlo, es aconsejable picarlo para que el proceso sea parejo. Si prefiere utilizar el microondas, debe hacerlo a intervalos de 30 segundos en potencia máxima y revolver cada vez. Si decide hacerlo al baño de María, cuide que el tazón que contiene el chocolate nunca toque el agua hirviendo.

LOS MERENGUES
Son preparaciones aireadas y livianas a base de claras de huevo y azúcar. Los utensilios deben estar limpios y secos antes de comenzar el batido; de lo contrario, las claras no crecen. Es esencial batir en primer lugar las claras solas, hasta que estén espumosas, y luego incorporar el azúcar gradualmente.
En general, se utiliza el doble de azúcar que de claras. En algunas recetas, es posible que encuentre la sugerencia de agregar unas gotas de limón, vinagre o ácido acético al batido de claras. Eso hará que el merengue resulte mucho más blanco. Hay diferentes tipos de merengue: francés, suizo e italiano. Este último es el único que se puede congelar, ya que las claras están totalmente cocidas.

18 Pastelería

LA EMPRESA EN CASA - TÉCNICAS BÁSICAS

BATIDOS PESADOS
Están presentes en recetas de muffins, pudines, cuatro cuartos, pound cake, pasteles y cuadrados. Son preparaciones que comienzan con un batido de mantequilla y azúcar al que se le incorporan los líquidos (huevo, leche, jugo, etc.) y por último, los secos previamente tamizados. Es necesario que todos los ingredientes estén a temperatura ambiente. Una vez que se incorporan los secos no hay que batir, sino mezclar con movimientos envolventes para que la preparación no resulte dura por acción del gluten de la harina.

BATIDOS LIVIANOS
Están presentes en las recetas de genovesa, bizcochuelo, bizcochuelo en lámina y rollos. Son batidos de huevo a los que se les incorporan azúcar y harina en distintas proporciones. Es muy importante que el batido sea sostenido y que al agregar la harina (u otros ingredientes secos, como cacao) no pierda aire. Para ello hay que realizar pocos movimientos envolventes con una espátula de goma. Antes de agregar los secos al batido, conviene tamizarlos varias veces

LAS MASAS
La mayoría de las tartas tienen como base una masa quebrada o seca. Este tipo de masa se caracteriza por su gran friabilidad y ausencia de cuerpo y elasticidad.
Si no contienen polvo de hornear, pueden guardarse 7 días en el refrigerador y 2 meses en el congelador. Las que contienen polvo de hornear, 3 días en el refrigerador y 2 meses en el congelador.

En estos apartados se explican en detalle aquellos procedimientos que habitualmente se emplean en la realización de los pasteles, los panes y las conservas. Es bueno que se familiarice con ellos y los practique antes de probar las recetas que sugerimos en las páginas siguientes.

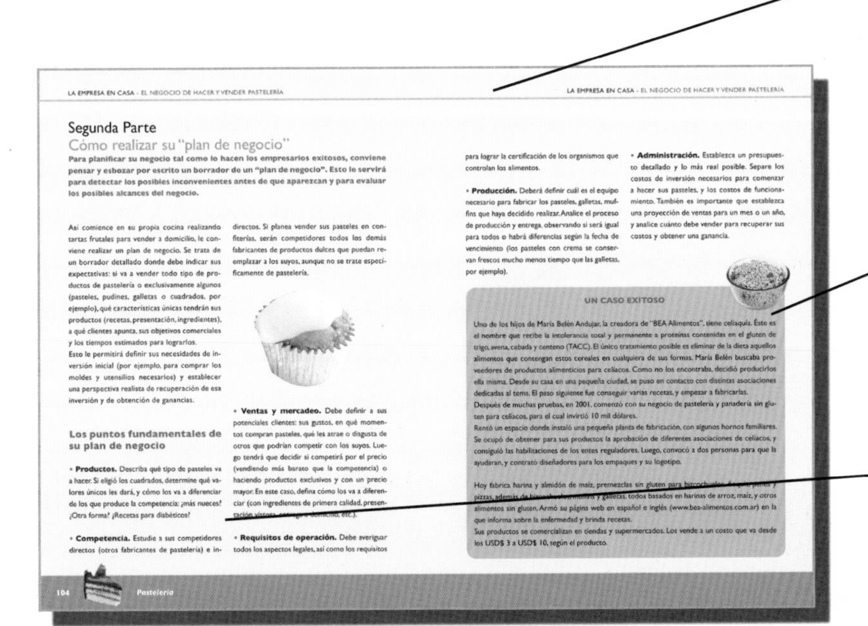

LA EMPRESA EN CASA - EL NEGOCIO DE HACER Y VENDER PASTELERÍA

Segunda Parte

Cómo realizar su "plan de negocio"

Para planificar su negocio tal como lo hacen los empresarios exitosos, conviene pensar y esbozar por escrito un borrador de un "plan de negocio". Esto le servirá para detectar los posibles inconvenientes antes de que aparezcan y para evaluar los posibles alcances del negocio.

Así comience en su propia cocina realizando tartas frutales para vender a domicilio, le conviene realizar un plan de negocio. Se trata de un borrador detallado donde debe indicar sus expectativas: si va a vender todo tipo de productos de pastelería o exclusivamente algunos (pasteles, pudines, galletas o cuadrados, por ejemplo), qué características únicas tendrán sus productos (recetas, presentación, ingredientes), a qué clientes apunta, sus objetivos comerciales y los tiempos estimados para lograrlos.
Esto le permitirá definir sus necesidades de inversión inicial (por ejemplo, para comprar los moldes y utensilios necesarios) y establecer una perspectiva realista de recuperación de esa inversión y de obtención de ganancias.

Los puntos fundamentales de su plan de negocio

• **Productos.** Describa qué tipo de pasteles va a hacer. Si eligió los cuadrados, determine qué valores únicos les dará, y cómo los va a diferenciar de los que produce la competencia: ¿más nueces? ¿Otra forma? ¿Recetas para diabéticos?

• **Competencia.** Estudie a sus competidores directos (otros fabricantes de pastelería) e indirectos. Si planea vender sus pasteles en confiterías, serán competidores todos los demás fabricantes de productos dulces que puedan reemplazar a los suyos, aunque no se trate específicamente de pastelería.

• **Ventas y mercadeo.** Debe definir a sus potenciales clientes: sus gustos, en qué momentos compran pasteles, qué les atrae o disgusta de otros que podrían competir con los suyos. Luego tendrá que decidir si competirá por el precio (vendiendo más barato que la competencia) o haciendo productos exclusivos y con un precio mayor. En este caso, defina cómo los va a diferenciar (con ingredientes de primera calidad, presentación vistosa, [illegible] domicilio, etc.).

• **Requisitos de operación.** Debe averiguar todos los aspectos legales, así como los requisitos para lograr la certificación de los organismos que controlan los alimentos.

• **Producción.** Deberá definir cuál es el equipo necesario para fabricar los pasteles, galletas, muffins que haya decidido realizar. Analice el proceso de producción y entrega, observando si será igual para todos o habrá diferencias según la fecha de vencimiento (los pasteles con crema se conservan frescos mucho menos tiempo que las galletas, por ejemplo).

• **Administración.** Establezca un presupuesto detallado y lo más real posible. Separe los costos de inversión necesarios para comenzar a hacer sus pasteles, y los costos de funcionamiento. También es importante que establezca una proyección de ventas para un mes o un año, y analice cuánto debe vender para recuperar sus costos y obtener una ganancia.

UN CASO EXITOSO

Uno de los hijos de María Belén Andujar, la creadora de "BEA Alimentos", tiene celiaquía. Éste es el nombre que recibe la intolerancia total y permanente a proteínas contenidas en el gluten de trigo, avena, cebada y centeno (TACC). El único tratamiento posible es eliminar de la dieta aquellos alimentos que contengan estos cereales en cualquiera de sus formas. María Belén buscaba proveedores de productos alimenticios para celíacos. Como no los encontraba, decidió producirlos ella misma. Desde su casa en una pequeña ciudad, se puso en contacto con distintas asociaciones dedicadas al tema. El paso siguiente fue conseguir varias recetas, y empezar a fabricarlas.
Después de muchas pruebas, en 2001, comenzó con su negocio de pastelería y panadería sin gluten para celíacos, para el cual invirtió 10 mil dólares.
Rentó un espacio donde instaló una pequeña planta de fabricación, con algunos hornos familiares. Se ocupó de obtener para sus productos la aprobación de diferentes asociaciones de celíacos, y consiguió las habilitaciones de los entes reguladores. Luego, convocó a dos personas para que la ayudaran, y contrató diseñadores para los empaques y su logotipo.

Hoy fabrica harina y almidón de maíz, premezclas sin gluten para [illegible] y pizzas, además de [illegible] y galletas, todos basados en harinas de arroz, maíz, y otros alimentos sin gluten. Armó su página web en español e inglés (www.bea-alimentos.com.ar) en la que informa sobre la enfermedad y brinda recetas.
Sus productos se comercializan en tiendas y supermercados. Los vende a un costo que va desde los USD$ 3 a USD$ 10, según el producto.

104 Pastelería

En estos capítulos, que se presentan al final de cada sección, usted encontrará la información necesaria para comenzar a delinear su futura empresa.

El relato de un aficionado que convirtió su pasatiempo en un negocio rentable.

Los conceptos más modernos del "mundo de los negocios" explicados en un lenguaje accesible.

Recetas Paso a Paso

Cada receta está explicada de manera sencilla y precisa, indicando los ingredientes a utilizar, la cantidad necesaria de cada uno y el total de unidades que obtendrá para la venta de sus productos.

Estos iconos indican el grado de dificultad, tiempo de desarrollo y costo de los ingredientes de cada receta.

Consejos de gran utilidad con relación a la realización del producto.

LA EMPRESA EN CASA - PASTELES

Pastel mousse de fresas

Una opción fresca y frutal que no puede faltar en su catálogo. Si no es tiempo de fresas, reemplácelas por otra fruta de estación. El resultado será igualmente exitoso.

1 unidad

INGREDIENTES

- 1 lámina de bizcochuelo
- Mermelada de fresas
- 4 claras
- 8 cdas. de azúcar
- 250 g. de crema
- 250 g. de fresas
- 7 g. de gelatina sin sabor
- Jugo de 1 limón

Venda más

Para hacer un producto más atractivo, decore con trozos de fresa y un baño de chocolate.

PREPARACIÓN

1. Tapice la base de un molde desmoldable con película plástica, cúbrala con la lámina de bizcochuelo, y unte con la mermelada.

2. Bata las claras hasta que estén espumosas, agregue el azúcar poco a poco y siga batiendo hasta lograr un merengue firme. Bata la crema a medio punto.

3. Licúe las fresas y mézclelas con la gelatina caliente previamente hidratada en el jugo de limón. Agregue el merengue con movimientos suaves y envolventes y, por último, la crema batida.

4. Coloque la preparación dentro de un molde previamente tapizado con la lámina de bizcochuelo y lleve al refrigerador durante cuatro horas. Desmolde con cuidado. Este pastel adquiere mejor consistencia si permanece en el refrigerador durante toda la noche.

78 Pastelería

Lista de elementos necesarios para realizar la receta.

Explicación paso a paso para la preparación del producto.

Referencias de las recetas

LA EMPRESA EN CASA - FRUTAS EN CONSERVA

Calabaza en almíbar

En el mercado se consiguen calabazas de distintas formas y sabores. …preparar esta deliciosa conserva que sus clientes adorarán.

5-6 frascos de 400 g.

INGREDIENTES
- 1 kg. de calabaza Angola (ahuyama)
- 250 g. de cal viva
- 700 g. de azúcar
- 1 rama de canela
- Esencia de vainilla

PREPARACIÓN

1. Lave la calabaza con abundante agua y con la ayuda de un cepillo. A continuación córtela en rodajas de 3 cm. Retire con cuidado el centro con las semillas y quite la cáscara con la ayuda de un pelador filoso o de un cuchillo.

2. Corte en cubos del mismo tamaño para que la cocción sea pareja. Separe los trozos que hayan quedado triangulares o disparejos. Resérvelos para una mermelada.

3. Coloque los cubos de calabaza en un recipiente de acero inoxidable con agua y cal viva. Deje reposar 1 hora revolviendo para asegurarse de que todos los cubitos están sumergidos. Lave muy bien para retirar la cal.

4. Vierta los cubos de calabaza en una olla profunda. Cúbralos con agua y cocine durante 30 minutos. Agregue el azúcar, la rama de canela y la esencia de vainilla. Cocine a fuego suave hasta que el líquido espese. Los cubitos deben quedar firmes por fuera y blandos por dentro. Retire del fuego, esterilice los frascos y envase la preparación (Técnicas básicas en pág. 218).

230 Conservas

COSTO POR UNIDAD

Bajo: de USD$ 1,00 a USD$ 2,50.

Medio: de USD$ 3,00 a USD$ 5,50.

Alto: de USD$ 6,00 a USD$ 13,50.

GRADO DE DIFICULTAD

Bajo: preparaciones ideales para principiantes o para días en los que se dispone de poco tiempo en la cocina.

Medio: recetas que requieren el manejo de utensilios adicionales, y de la combinación de diversos procesos.

Alto: recetas que precisan una mayor cantidad de ingredientes y procesos más complejos.

TIEMPO DE FABRICACIÓN

Corto: productos que se fabrican en una sola etapa y no requieren demasiado tiempo de espera.

Mediano: recetas que se elaboran en más de una etapa con un determinado tiempo de espera entre una y otra.

Prolongado: recetas que requieren de un tiempo prolongado de espera. Algunas se hacen de un día para otro.

Pastelería
Tartas
Galletas
Cuadrados
Muffins
Pasteles

INGREDIENTES

1 - Fécula de maíz
2 - Avena en hojuelas
3 - Uvas pasas
4 - Uvas pasas rubias
5 - Azúcar morena
6 - Azúcar pulverizada
7 - Muesli
8 - Miel
9 - Mermelada
10 - Huevos
11 - Chocolate blanco y amargo
12 - Harina
13 - Mantequilla

14 - Canela en rama
15 - Almendras enteras
16 - Fruta desecada
17 - Gelatina sin sabor
18 - Coco rallado
19 - Sal fina
20 - Polvo para hornear
21 - Azúcar
22 - Crema de leche
23 - Leche
24 - Esencia de vainilla
25 - Nueces con cáscara
26 - Frutas frescas

UTENSILIOS

1 - Placa para horno
2 - Tazón de acero inoxidable
3 - Aro de metal
4 - Moldes de aluminio de distintas formas y tamaños
5 - Molde desmontable
6 - Moldes de tartaleta
7 - Espátulas de goma
8 - Cuchara de madera
9 - Batidor de alambre
10 - Palo de amasar
11 - Película plástica
12 - Papel encerado

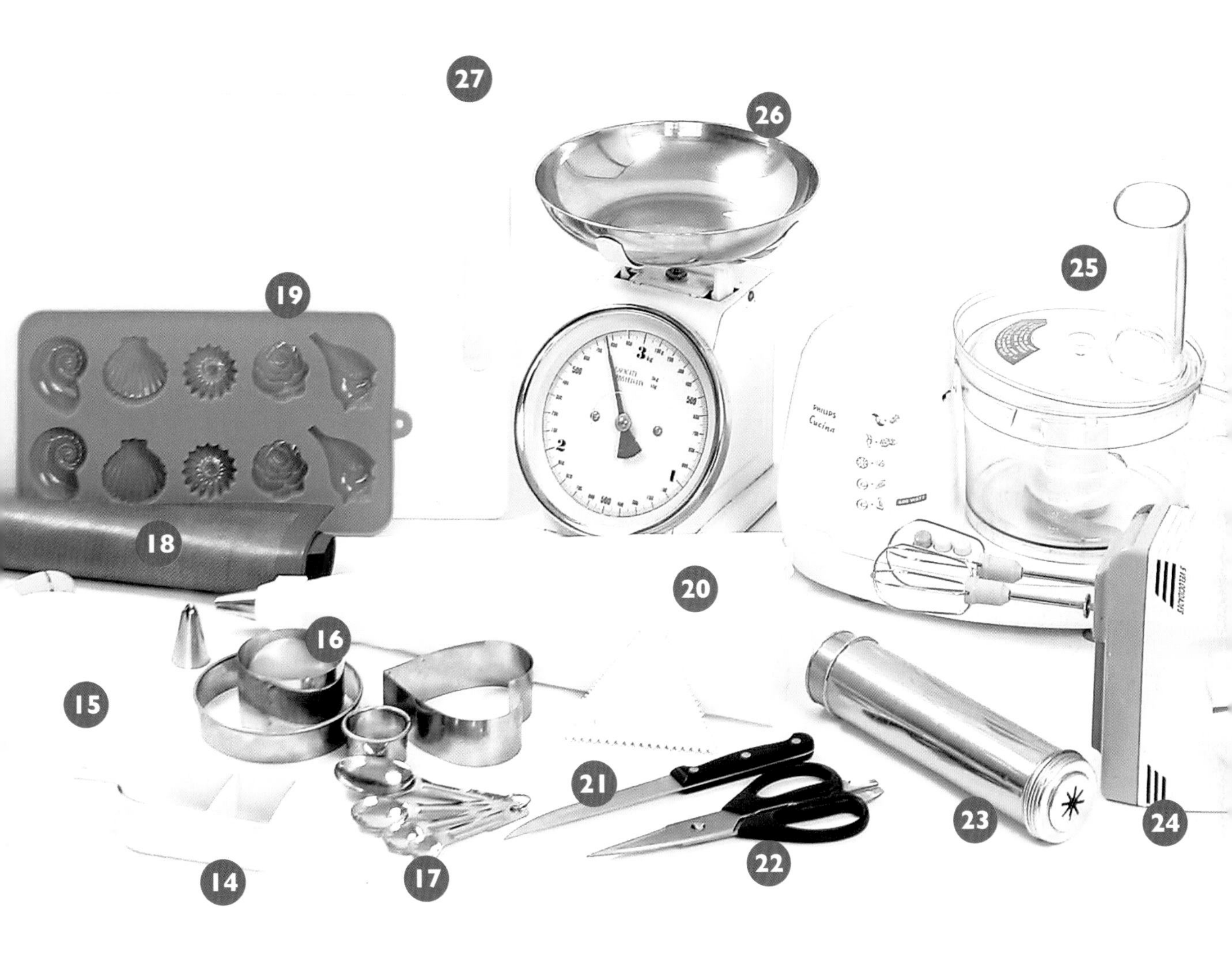

13 - Jarra medidora
14 - Cuchara medidora
15 - Cernidor
16 - Cortadores de metal
17 - Cucharitas varias
18 - Placa siliconada
19 - Molde para bombones
20 - Manga con boquillas
21 - Cuchillo filoso
22 - Tijeras
23 - Churrera
24 - Batidora eléctrica
25 - Procesador de alimentos
26 - Balanza
27 - Tabla de picar

Técnicas básicas

Gran parte de las recetas de pastelería tienen un origen común. Si usted cambia o combina en distintas proporciones los ingredientes de las preparaciones básicas, podrá lograr diferentes resultados. Dominar los secretos de estas técnicas contribuirá al éxito de cada una de las recetas que elija.

EL CHOCOLATE

Se puede derretir al baño de María o en el microondas. En ambos casos, la temperatura nunca debe superar los 34 °C; de lo contrario, se quema y pierde la mayoría de sus características, entre ellas el brillo y la untuosidad (recordemos que la temperatura de nuestro cuerpo es de 36,5 °C, por eso, los especialistas suelen probar el chocolate derretido con los labios).

Antes de derretirlo, es aconsejable picarlo para que el proceso sea parejo. Si prefiere utilizar el microondas, debe hacerlo a intervalos de 30 segundos en potencia máxima y revolver cada vez. Si decide hacerlo al baño de María, cuide que el tazón que contiene el chocolate nunca toque el agua hirviendo.

LOS MERENGUES

Son preparaciones aireadas y livianas a base de claras de huevo y azúcar. Los utensilios deben estar limpios y secos antes de comenzar el batido; de lo contrario, las claras no crecen. Es esencial batir en primer lugar las claras solas, hasta que estén espumosas, y luego incorporar el azúcar gradualmente.

En general, se utiliza el doble de azúcar que de claras. En algunas recetas, es posible que encuentre la sugerencia de agregar unas gotas de limón, vinagre o ácido acético al batido de claras. Eso hará que el merengue resulte mucho más blanco. Hay diferentes tipos de merengue: francés, suizo e italiano. Este último es el único que se puede congelar, ya que las claras están totalmente cocidas.

BATIDOS PESADOS

Están presentes en recetas de muffins, pudines, cuatro cuartos, pound cake, pasteles y cuadrados. Son preparaciones que comienzan con un batido de mantequilla y azúcar al que se le incorporan los líquidos (huevo, leche, jugo, etc.) y por último, los secos previamente tamizados. Es necesario que todos los ingredientes estén a temperatura ambiente. Una vez que se incorporan los secos no hay que batir, sino mezclar con movimientos envolventes para que la preparación no resulte dura por acción del gluten de la harina.

BATIDOS LIVIANOS

Están presentes en las recetas de genovesa, bizcochuelo, bizcochuelo en lámina y rollos. Son batidos de huevo a los que se les incorporan azúcar y harina en distintas proporciones. Es muy importante que el batido sea sostenido y que al agregar la harina (u otros ingredientes secos, como cacao) no pierda aire. Para ello hay que realizar pocos movimientos envolventes con una espátula de goma. Antes de agregar los secos al batido, conviene tamizarlos varias veces

LAS MASAS

La mayoría de las tartas tienen como base una masa quebrada o seca. Este tipo de masa se caracteriza por su gran friabilidad y por la ausencia de cuerpo y elasticidad.

Si no contienen polvo de hornear, pueden guardarse 7 días en el refrigerador y 2 meses en el congelador. Las que contienen polvo de hornear, 3 días en el refrigerador y 2 meses en el congelador.

Tartas

Tarta de ciruelas

Es fácil de hacer, resulta deliciosa y es muy tentadora por su colorido. La misma receta puede elaborarse con melocotones, peras, manzanas, plátanos y, por qué no, frutos secos.

8 porciones

INGREDIENTES

- 6 ciruelas de color rojo oscuro
- 4 cdas. de azúcar morena
- 150 g. de mantequilla
- 1 taza de azúcar
- 250 g. de harina
- 1 pizca de sal
- 1 cdita. de canela en polvo
- 1 cdita. de polvo de hornear

Las frutas de colores llamativos logran que se vendan más tartas.

PREPARACIÓN

1. Corte las ciruelas por la mitad y retire los huesos. Colóquelas en un tazón y espolvoréelas con el azúcar morena; deje reposar como mínimo una media hora.

2. Mezcle en el procesador de alimentos la mantequilla con el azúcar, luego incorpore la harina, la pizca de sal, la canela en polvo y el polvo de hornear hasta lograr un arenado. Reserve una taza de esta preparación y coloque el resto en una tartera; presiónela con las manos hasta cubrir toda la superficie.

3. Acomode las ciruelas sobre la masa en dos hileras; distribuya sobre ellas el azúcar que haya quedado en el tazón.

4. Espolvoree sobre las ciruelas el arenado reservado. Cocine en horno precalentado a 200 °C durante 45 minutos, hasta que la masa esté dorada. Retire del horno, deje reposar y desmolde.

Tarta Tatín de peras

En ninguna pastelería puede faltar la famosa tarta Tatin. Pruébela también con manzanas, albaricoques o cualquier otra fruta de pulpa que consiga. ¡Es deliciosa!

8 porciones

INGREDIENTES

- 2 kg. de peras
- 500 g. de azúcar
- 250 g. de mantequilla
- 1 vaina de vainilla (o unas gotas de esencia)
- 300 g. de masa de hojaldre (ver strudel en la página 34)

Secreto útil

Debe consumirse en el día para que la masa no se humedezca. Prepare el hojaldre con anticipación y guárdelo en el refrigerador.

PREPARACIÓN

1. Elija fruta que este sana y sin golpes. Limpie bien las peras, pele y córtelas por la mitad. Retire las semillas.

2. Colóquelas en una asadera refractaria alta junto con el azúcar, la mantequilla y la vainilla. Cocine en horno medio hasta que estén transparentes, sin que se desarmen (alrededor de 1 hora). Deje enfriar.

3. Coloque las peras en una sartén profunda que pueda ir directamente al horno.

4. Extienda la masa y cubra con ella las peras (pinche la masa con un tenedor para evitar que pierda la forma). Lleve a horno precalentado a 200 °C hasta que este dorada. Deje enfriar un poco antes de desmoldar. Puede decorar con azúcar pulverizada, nata, o canela en rama o molida.

Pie de limón

Es un clásico de la pastelería que tiene mucha aceptación entre los clientes. Para que se convierta en un éxito de ventas, cuide que el sabor del limón no resulte exagerado.

8 porciones

Secreto útil

Los utensilios deben estar limpios y perfectamente secos antes de comenzar el batido, de lo contrario las claras no crecen.

INGREDIENTES

Cubierta:
- 4 claras
- 6 cdas. de azúcar pulverizada

Masa:
- 125 g. de mantequilla
- 250 g. de harina
- 25 g. de azúcar
- 1 pizca de sal
- 1 yema
- 1 huevo

Relleno:
- 200 g. de azúcar
- 500 c.c. de leche
- 60 g. de almidón de maíz
- 4 yemas
- Ralladura de 1 limón
- 200 c.c. de jugo de limón
- 50 g. de mantequilla

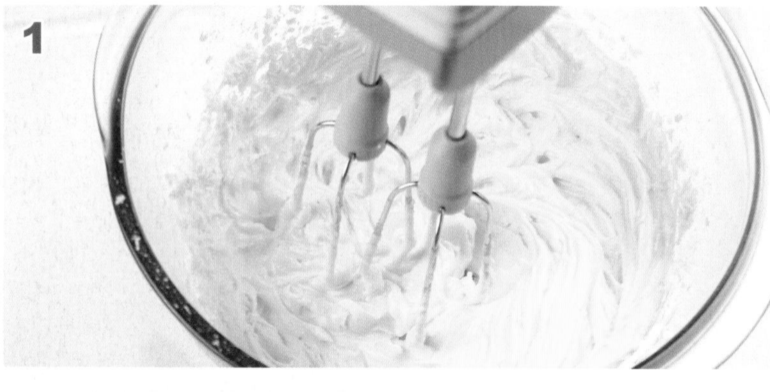
1

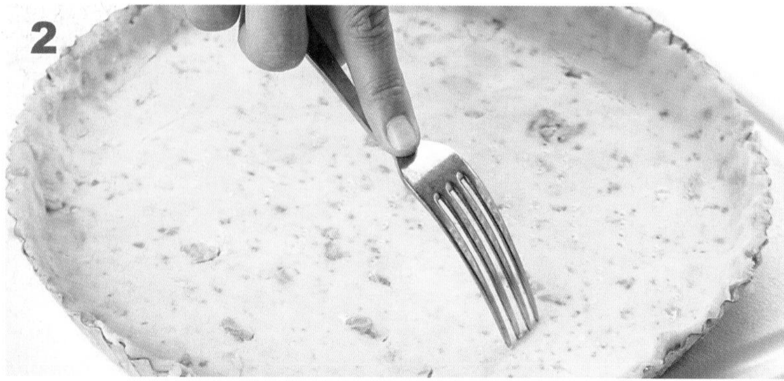
2

PREPARACIÓN

Masa

1. Mezcle en el procesador de alimentos la mantequilla bien fría, la harina, la pizca de sal y el azúcar, hasta lograr una preparación arenosa. Agregue la yema, el huevo y un poco de agua helada (no demasiada). Vuelva a procesar. Cuando se forme un bollo, envuelva la masa en película plástica y déjela reposar durante una hora en el refrigerador.

2. Extienda la masa y forre una tartera desmoldable de 30 cm. de diámetro. Pinche la masa

con un tenedor (de este modo evitará que la masa se levante durante la cocción) y cocínela totalmente en el horno precalentado a 200 °C. Antes de rellenar deje enfriar la masa.

Relleno

3. Incorpore 100 g. de azúcar a la leche y caliente.
En un tazón mezcle el almidón de maíz con los 100 g. restantes de azúcar.

Agregue las yemas, la ralladura de limón y el jugo de limón, la mantequilla y mezcle hasta que todos los ingredientes queden totalmente integrados.
Agregue la mitad de la leche caliente y revuelva.

4. Vierta esta preparación sobre el resto de la leche caliente y lleve al fuego durante 1 minuto hasta que espese bien, sin dejar de revolver.

5. Retire el relleno del fuego y colóquelo en una fuente poco profunda. Cúbralo con película plástica de manera que ésta toque la preparación. Así evitará que se endurezca la superficie. Deje enfriar a temperatura ambiente y finalmente rellene la tarta con la preparación.

Cubierta

6. Bata las claras. Cuando estén espumosas, agregue el azúcar poco a poco y continúe batiendo hasta lograr un merengue firme y brillante. Decore la tarta con el merengue, espolvoree azúcar pulverizada y gratine en horno caliente, para que se dore la superficie, pero sin llegar a quemarse.

Tarta de frutos del bosque

Una receta que permite múltiples combinaciones. Si no se consiguen frutos del bosque con facilidad, anímese a probar con las frutas disponibles en el mercado.

8 porciones

INGREDIENTES

Masa:

- 300 g. de harina
- 150 g. de mantequilla
- 100 g. de azúcar pulverizada
- 1 chorrito de agua helada
- 150 g. de chocolate semiamargo
- Fruta extra para decorar

Relleno:

- 100 g. de fresas
- 100 g. de frambuesas
- 100 g. de moras
- 2 huevos y 2 yemas
- 100 g. de azúcar
- 7 g. de gelatina sin sabor
- 100 g. de mantequilla

PREPARACIÓN

Relleno

1. Licúe la fruta previamente lavada hasta obtener un puré suave y liso. Coloque este puré en un tazón y agregue los huevos, las yemas y el azúcar. Cocine al baño de María, revolviendo hasta que la preparación espese. Una vez que el agua de la olla llegue a punto de ebullición, baje el fuego para que el calor sea parejo.

2. Agregue la gelatina previamente hidratada en un chorrito de agua fría y continúe mezclando todos los ingredientes.

3. Deje enfriar un poco e incorpore la mantequilla cortada en cubitos. Mezcle hasta integrar perfectamente la preparación.

Masa

4. Coloque en la batidora la harina, la mantequilla y el azúcar pulverizada. Agregue un poco de agua y siga procesando hasta

Venda más

Si quiere optimizar la producción de esta tarta, prepare bases de masa y guárdelas en el refrigerador hasta el momento de armarlas. Ganará tiempo y ahorrará dinero.

obtener una masa tierna. Retire la masa y forme un bollo sin amasar. Envuélvalo en película plástica y déjelo descansar en el refrigerador durante una hora. Si antes de envolverlo lo aplana con el rodillo hasta formar un rectángulo, logrará que se enfríe en forma pareja y rápida. Con el rodillo, extienda la masa sobre la mesa apenas enharinada. Forre un molde desmontable, dejando un margen de unos milímetros de masa en el borde superior del molde (este tipo de masas suele retraerse levemente cuando se enfría). Lleve al congelador durante 1 hora y luego cocine totalmente. Para evitar que la masa crezca durante la cocción, puede colocarle papel de aluminio y luego algún peso como frijoles o piedritas. Otra alternativa es pinchar toda la superficie con un tenedor. Retire del horno y deje enfriar sobre rejilla.

5. Cuando la masa esté fría, pincélela con el chocolate previamente derretido y luego, rellénela con la preparación de los frutos rojos con los huevos, las yemas y el azúcar. Mantenga en el refrigerador durante dos horas como mínimo; finalmente, decore con las frutas rojas.

Tarta de nueces y miel

Las frutas secas no pueden faltar en el catálogo de una buena pastelería. La presencia de la miel hace de esta tarta un producto fácil de almacenar por varios días.

8 porciones

INGREDIENTES

Relleno:

- 3 cdas. de mantequilla blanda
- 3/4 de taza de azúcar morena
- 3 huevos
- 1/2 taza de glucosa
- 2 cdas. de miel
- 2 cditas. de esencia de vainilla
- 2 tazas de nueces picadas
- 1 taza y media de nueces en mitades
- 1 pizca de sal

Masa:

- 1 taza de harina
- 1/3 de taza de azúcar
- 1 pizca de sal

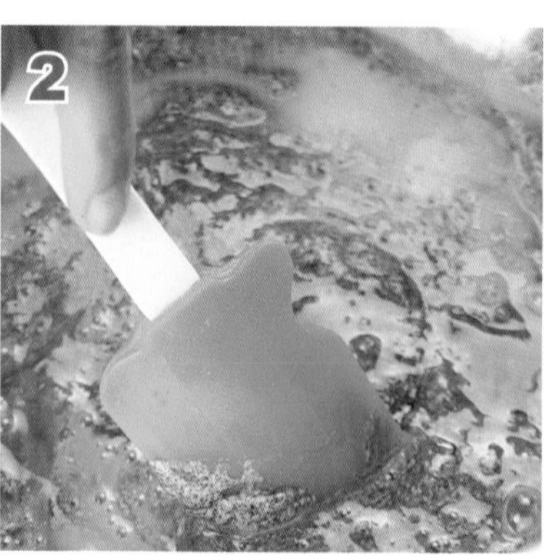

PREPARACIÓN

Masa

1. Coloque todos los ingredientes en la batidora y procese bien hasta lograr un bollo. Extienda la masa con la ayuda de un rodillo sobre una tartera. Pínchela con un tenedor.

Relleno

2. Bata la mantequilla con el azúcar hasta que tenga una consistencia cremosa. Agregue los huevos, la glucosa, la miel, la sal y la esencia de vainilla. Mezcle los ingredientes hasta integrar.

3. Espolvoree el fondo de la tarta con las nueces picadas. Vierta la mitad del batido anterior.

4. Disponga las mitades de nueces en forma circular e incorpore el resto del batido, cuidando que no se muevan. Cocine en horno moderado durante 1 hora. Sírvala tibia o a temperatura ambiente.

Strudel de manzana

La vieja receta de las abuelas que amasaban sobre un mantel. Anímese a probarla. No es tan difícil como le dijeron. ¿El resultado? Impecable.

I unidad

INGREDIENTES

Relleno:

- I kg. de manzanas verdes
- Jugo de I limón
- Ralladura de I limón
- 50 g. de nueces
- 50 g. de uvas pasas
- I cda. de canela en polvo
- 150 g. de azúcar
- 50 g. de bizcochos molidos

Masa:

- 300 g. de harina
- I huevo
- I pizca de sal
- 125 c.c. de agua tibia
- 60 g. de mantequilla

PREPARACIÓN

1. Una la harina, el huevo, la sal y el agua. Incorpore la mantequilla y forme una masa blanda.

2. Amase durante varios minutos para darle elasticidad y que quede lisa. Envuelva en película plástica y deje reposar durante I hora en un lugar tibio.

Relleno

3. Pele las manzanas y retire las semillas; córtelas en cubos. Rocíelas con el jugo y la ralladura de limón. Incorpore las nueces, las uvas pasas y la canela.

4. Extienda la masa hasta que quede bien finita. Las abuelas decían que la masa del hojaldre estaba lista cuando a través de ella se podía leer un periódico.

5. Espolvoree con el azúcar y los bizcochos molidos de manera que toda la superficie de la masa quede cubierta.

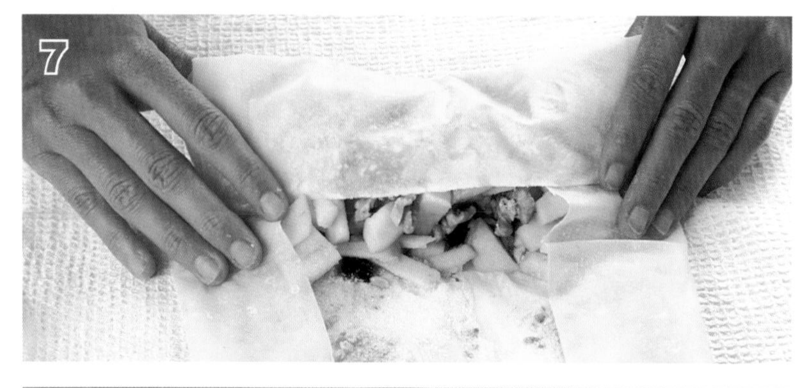

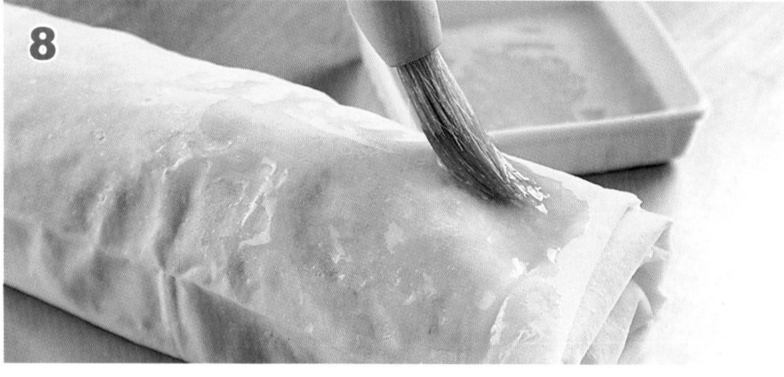

6. Coloque el relleno en uno de los extremos de la masa. Cierre los laterales hacia dentro para que la preparación de las manzanas, nueces y uvas pasas no se escape. La masa de strudel es muy delicada, por lo que es conveniente moverla poco.

7. Enrolle cuidando que todos los ingredientes queden bien retenidos y que la masa no se le rompa. Coloque sobre una placa levemente untada con mantequilla. Conviene que el final de la masa quede hacia abajo, para que así la parte superior resulte prolija.

8. Pincele el Strudel con mantequilla fundida y cocine en horno precalentado a 180 °C., hasta que tome color dorado.

Venda más

Amplie su cartera de clientes ofreciendo este clásico de la pastelería en restaurantes, confiterías y servicios de catering. Es un postre ideal para fiestas y reuniones.

Vol-au-vent con fruta

Un producto que permite tener existencias. Prepare el hojaldre con anterioridad y guárdelo en el refrigerador. Esto le permitirá sacar los pedidos con rapidez.

20 unidades

INGREDIENTES

- 100 g. de harina
- 80 g. de harina leudante
- 1 pizca de sal
- 1 taza de agua helada
- 250 g. de mantequilla fría
- 1 huevo para pincelar
- Crema batida
- Frutas de estación

PREPARACIÓN

1. Integre bien las dos harinas, junto con la pizca de sal y el agua helada hasta obtener un bollo liso y elástico.

2. Extienda la masa sobre la mesada con un palo de amasar y forme un rectángulo.

3. Coloque la mantequilla fría en láminas sobre el rectángulo, dejando unos centímetros en los laterales para poder doblar la masa hacia dentro y contener la mantequilla.

4. Doble al medio la masa, cuidando que la mantequilla no se escape. Presione bien los bordes para sellarla.

5. Vuelva a doblar la masa con cuidado, esta vez en tres partes iguales y extienda con el rodillo sobre la superficie de la mesada enharinada.

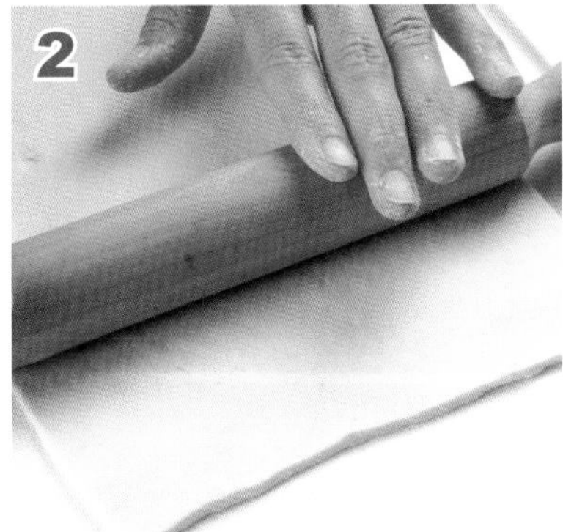

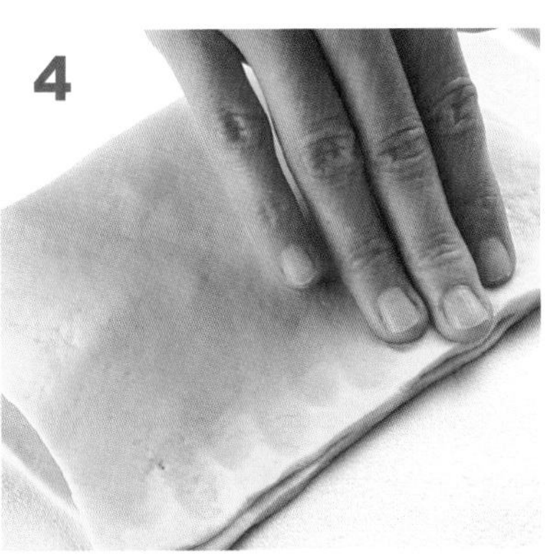

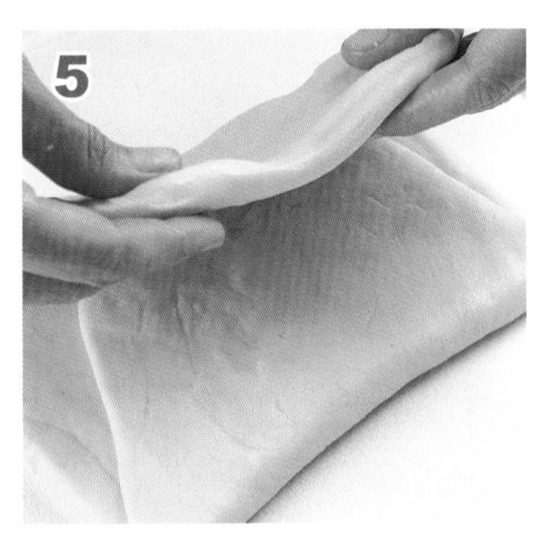

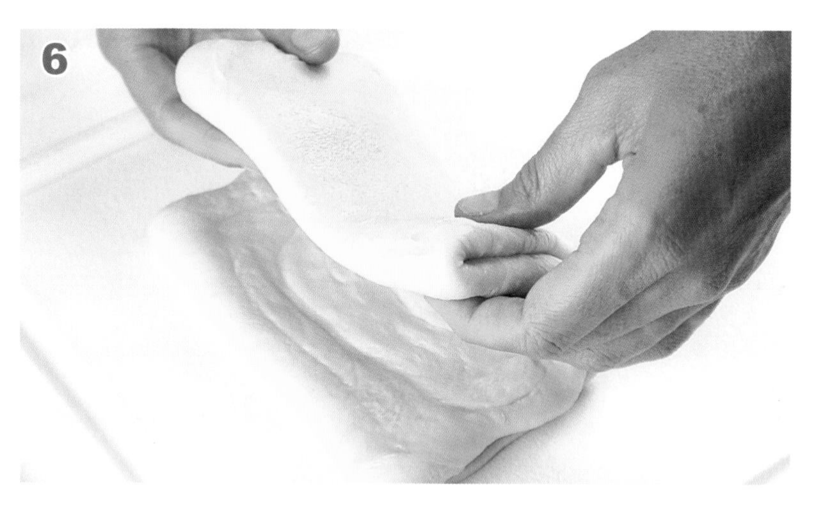

6. Vuelva a doblar, esta vez en cuatro partes. Repita este paso dos veces más. Entre doblez y doblez envuelva la masa en película plástica y llévela al refrigerador durante 30 minutos. Una vez terminado el proceso, envuelva nuevamente en película plástica y lleve al refrigerador por dos horas más.

7. Extienda y, con un cortador circular, corte doce círculos iguales. En seis de ellos, corte cada centro con un cortapastas más pequeño y descártelo.

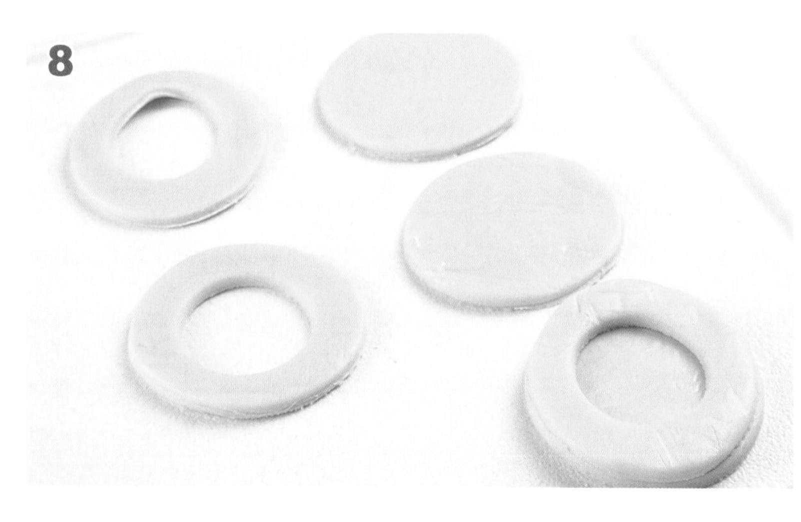

8. Pincele los doce círculos enteros con huevo. Cúbralos con los círculos a los que les retiró el centro. Vuelva a pincelar con huevo (el huevo no debe tocar los bordes para que, una vez en el horno, las capas del hojaldre se separen). Lleve las piezas al horno precalentado a 180 °C y cocine hasta que estén bien doradas. Rellene los vol au vent con crema batida y decore con frutas frescas.

Secreto útil

Para que la masa no se humedezca, rellénelos con crema a último momento.

Galletas

Lenguas de gato

Un producto básico de la pastelería. No sólo podrá venderlas en bolsitas, también le servirán para preparar postres diferentes y atractivos. Se conservan con facilidad.

100 unidades

INGREDIENTES

- 100 g. de mantequilla
- 100 g. de azúcar pulverizada
- 2 claras
- 1 cdita. de esencia de vainilla
- 100 g. de harina tamizada

Venda más

No pueden faltar en su producción habitual. Acompañan helados, mousses, y otros postres. Asegúrese de que estén siempre crocantes.

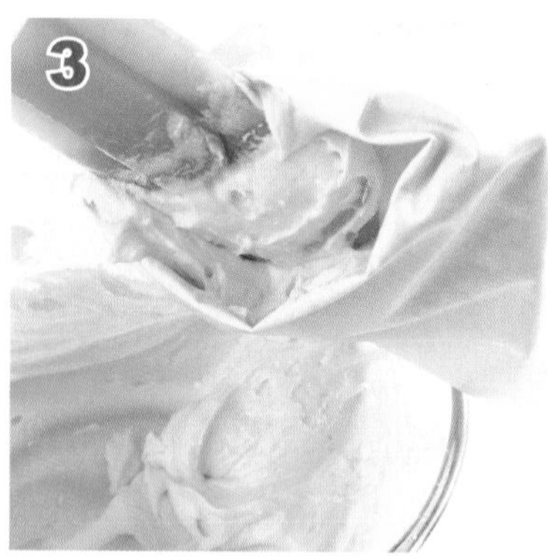

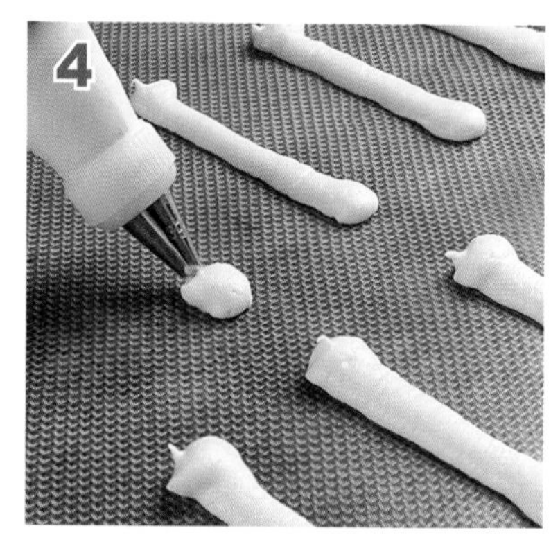

PREPARACIÓN

1. Bata la mantequilla con el azúcar pulverizada hasta que la preparación resulte cremosa. Agregue las claras de a una y la esencia de vainilla. Continúe batiendo en forma sostenida.

2. Lentamente agregue la harina tamizada en forma de lluvia mientras va integrando toda la mezcla con una espátula.

3. Coloque la preparación en una manga con boquilla lisa de 1 cm de diámetro.

4. Con la manga, realice bastones de 5 cm de largo sobre placas untadas con mantequilla y enharinadas. Cocine en horno precalentado a 180 °C hasta que las galletas estén apenas doradas.
Retire con una espátula y deje enfriar sobre una rejilla. Una vez frías, consérvelas en envases herméticos.

Amaretti

Para ofrecer en bares, confiterías o eventos, los *amaretti* son bien recibidos por la mayoría de los clientes. Distíngase de la competencia por la presentación.

20 unidades

INGREDIENTES

- 220 g. de azúcar
- 2 claras de huevo
- 125 g. de polvo de almendras
- 1 cdita. de esencia de almendras
- 20 almendras peladas y tostadas

Para acompañar postres, realice bastones con la manga y decórelos con almendras picadas. ¡Sorprenderá!

PREPARACIÓN

1. Bata el azúcar con las claras, el polvo de almendras y la esencia de vainilla durante 3 minutos con batidora eléctrica. Deje reposar la masa durante 5 minutos.

2. Coloque la preparación dentro de una manga pastelera provista de una boquilla lisa.

3. Con la manga, haga pequeños botones o copetes sobre una placa para horno apenas untada con mantequilla.

4. Coloque una almendra sobre cada círculo. Cocine en horno precalentado a 180 °C. durante 12 minutos o hasta que estén apenas dorados. Deje reposar 5 minutos antes de retirar de la placa de horno. Enfríe totalmente los *amaretti* sobre una rejilla y a continuación guárdelos dentro de un recipiente hermético.

Palitos de naranja

Ideales para la hora del café o para acompañar helados de crema. Ofrézcalos en bolsitas atractivas o en cajas de acetato. Imposible no tentarse con ellos.

32 unidades

INGREDIENTES

- 250 g. de mantequilla
- 80 g. de azúcar pulverizada
- 2 cdas. de ralladura de naranja
- 60 c.c. de jugo de naranja
- 400 g. de harina
- 75 g. de nueces picadas
- 60 g. de chocolate semiamargo

PREPARACIÓN

1. Bata la mantequilla con el azúcar hasta que la preparación resulte bien cremosa. Agregue la ralladura y el jugo de la naranja.

2. Incorpore la harina y las nueces picadas. Integre bien todos los ingredientes.

3. Coloque la preparación sobre una superficie untada con mantequilla y con las manos forme rollos de 15 cm. de largo. Acomódelos sobre una placa para horno, guardando la misma distancia entre todos ellos para lograr que se cocinen de forma pareja. Llévelos al horno precalentado a 180° C. durante 15 minutos.
Retire y deje que se enfríen sobre una rejilla.

4. Pique el chocolate y derrítalo en el microondas. Decore los palitos con hilos de chocolate.

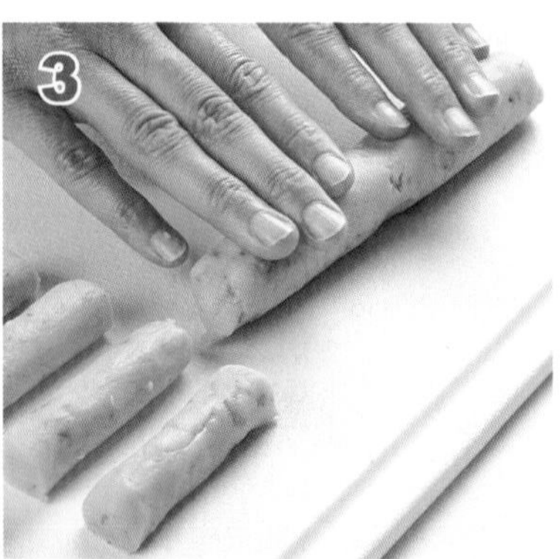

Galletas de chocolate

Puede comercializarlos en bolsitas de 12 unidades. El secreto del éxito radica en que permanezcan crocantes durante varios días.

24 unidades

INGREDIENTES

- 250 g. de mantequilla blanda
- 250 g. de azúcar
- 1 cdita. de esencia de vainilla
- 1 huevo
- 300 g. de harina
- 150 g. de chocolate

Venda más

Utilice materias primas de buena calidad. Los consumidores habituales de pasteles y galletas saben reconocer el buen chocolate.

PREPARACIÓN

1. Bata la mantequilla y el azúcar hasta lograr una crema. Incorpore la vainilla y el huevo sin dejar de batir.

2. Agregue la harina previamente tamizada y mezcle con espátula.

3. Agregue a la mezcla el chocolate picado.

4. Coloque cucharadas de la preparación en una placa, con espacio para que al cocinarse no se junten. Lleve al horno fuerte aproximadamente unos 15 minutos. Deje enfriar sobre rejilla.

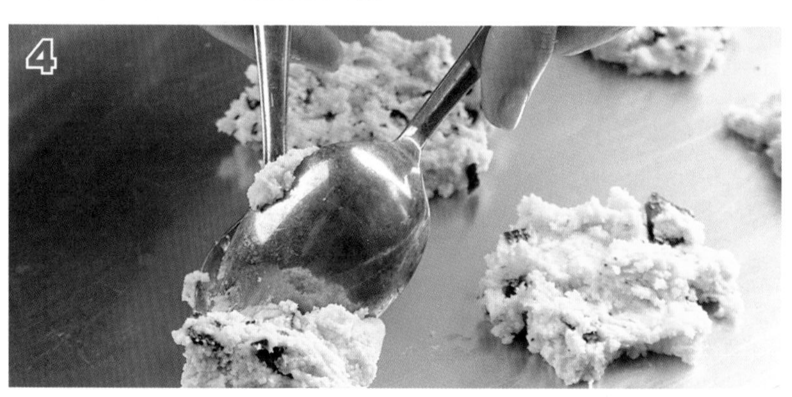

Churros

No tienen secretos y nunca fallan. La presentación del producto será en este caso un valor diferencial para potenciar la venta. No se limite a lo conocido.

24 unidades

INGREDIENTES

- 1 litro de agua
- 40 g. de mantequilla
- 3 g. de sal
- 500 g. de harina
- 1 litro de aceite para freír
- Azúcar para espolvorear

PREPARACIÓN

1. Coloque en una cacerola el agua, la mantequilla y la sal. Lleve al fuego.

2. Cuando rompa el hervor, agregue la harina de una sola vez y mezcle con cuchara de madera hasta que la preparación resulte homogénea. La masa debe quedar lisa y consistente y despegarse de los bordes de la cacerola. Retire del fuego.

3. Deje enfriar un poco y coloque en una churrera.

4. Caliente el aceite y fría hasta dorarlos. Retírelos con espumadera y escúrralos sobre papel absorbente. Espolvoree los churros con azúcar. Puede rellenarlos con dulce de leche y bañarlos con chocolate. Lo ideal es prepararlos en el momento, ya que pierden consistencia.

4

Mantecados

Nadie puede resistirse a un buen mantecado. Anímese a buscar envases como latas, frascos o cajas especiales, que le permitan venderlos con un valor diferencial.

24 unidades

INGREDIENTES

- 250 g. de mantequilla
- 75 g. de azúcar pulverizada
- 1 cdita. de esencia de vainilla
- 200 g. de harina
- 100 g. de almendras
- Azúcar pulverizada para decorar

PREPARACIÓN

1. Bata la mantequilla, el azúcar y la esencia de vainilla hasta que la preparación esté cremosa.

2. Agregue la harina y las almendras molidas y mezcle con espátula hasta unir los ingredientes secos con la preparación anterior.

3. Cubra con película plástica de modo tal que ésta toque la preparación. Deje reposar media hora en el refrigerador.

4. Con la ayuda de dos cucharas, tome pequeñas porciones y colóquelas sobre la placa forrada con papel encerado. Cocine en horno precalentado a 180 °C durante 15 minutos hasta que estén apenas doradas. Deje enfriar sobre una rejilla y luego espolvoree con abundante azúcar pulverizada. Para que se conserven crocantes por más tiempo, guárdelas en recipientes herméticos.

1

2

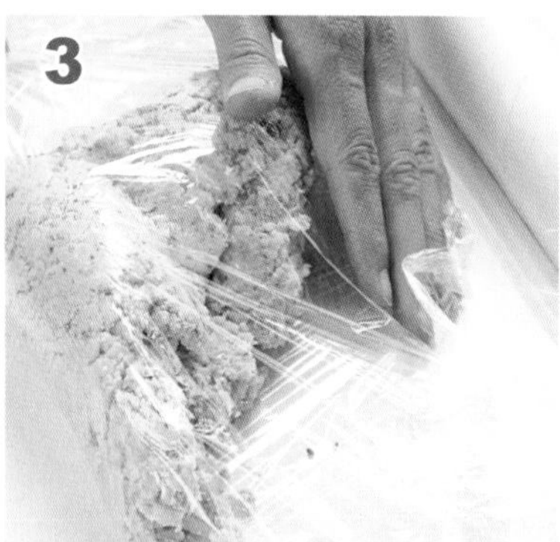
3

4

Galletas de avena

La avena es un energizante natural. Además, ayuda a aliviar la tensión nerviosa. Comunique a sus clientes las propiedades de lo que consumen. Motivará la compra.

20 unidades

INGREDIENTES

- 125 g. de mantequilla
- 150 g. de azúcar rubia
- 1 huevo
- Ralladura de 1 naranja
- 150 g. de harina
- 50 g. de uvas pasas
- 135 g. de avena en hojuelas

Venda más

Un buen empaque puede marcar la diferencia con sus competidores. Ofrezca las galletas por docena.

PREPARACIÓN

1. Bata bien la mantequilla con el azúcar hasta lograr que la preparación tenga una consistencia homogénea y cremosa.

2. Agregue luego el huevo y la ralladura de naranja.

3. Incorpore la harina, las uvas pasas y la avena en hojuelas. Mezcle bien, cuidando que todos los ingredientes queden integrados.

4. Tome con la mano pequeñas porciones, moldee pelotitas y luego aplánelas sobre una placa para horno forrada con papel encerado, dándole la forma a las galletas.
Cocine en el horno precalentado a 180 °C durante 12 minutos aproximadamente. Deje enfriar las galletas sobre una rejilla y conserve en recipientes herméticos. Busque ideas originales para envasarlas.

Cuadrados

Brownies

Imprescindibles y súper comerciales. Intente nuevas combinaciones. Pruebe reemplazar las nueces por pistachos, almendras, cascaritas de naranja o piñones.

36 unidades

INGREDIENTES

- 250 g. de chocolate
- 180 g. de mantequilla a temperatura ambiente
- 250 g. de azúcar pulverizada
- 200 g. de azúcar común
- 6 huevos
- 1 cdita. de esencia de vainilla
- 250 g. de harina
- 1 pizca de sal
- 150 g. de nueces picadas

Sugiera a sus clientes acompañar estos brownies con helado de vainilla.

PREPARACIÓN

1. Pique el chocolate y a continuación derrítalo en el microondas o al baño de María.

2. Bata la mantequilla con el azúcar pulverizada y el azúcar común hasta que la preparación resulte bien homogénea.

3. Incorpore el chocolate derretido, pero no caliente. Agregue los huevos uno a uno y la esencia de vainilla.

4. Tamice la harina con la sal. Colóquela junto con las nueces en el tazón del chocolate. Mezcle y coloque en una fuente para horno de 25 cm x 35 cm forrada con papel encerado untado con mantequilla. Cocine en un horno precalentado a 180 °C hasta que la preparación esté firme en los bordes pero húmeda en el interior. Deje enfriar, desmolde y por último, corte en cuadrados.

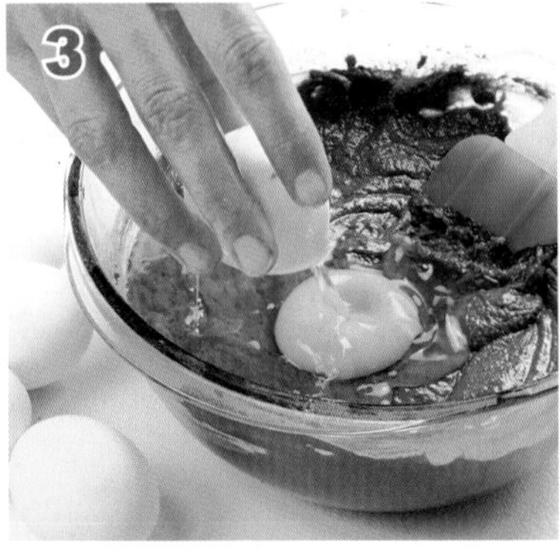

Cuadrados de frutas secas

Envuélvalos en papel encerado y cierre los paquetes con una etiqueta que lleve su marca. Con muy poca inversión, habrá creado un producto propio.

12 unidades

INGREDIENTES

Masa:

- 100 g. de mantequilla
- 80 g. de azúcar morena
- 180 g. de harina
- 1 yema de huevo

Relleno:

- 2 huevos
- 220 g. de azúcar rubia
- 50 g. de harina leudante
- 120 g. de uvas pasas
- 180 g. de maní tostado
- 90 g. de coco rallado

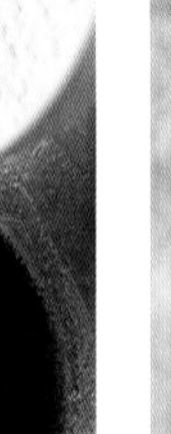

PREPARACIÓN

Masa

1. Derrita la mantequilla con el azúcar. Agregue la harina y la yema de huevo. Mezcle hasta integrar los ingredientes.

2. Presione esta preparación en el fondo de un molde previamente untado con mantequilla y forrado con papel encerado. Cocine en horno moderado hasta que esté apenas dorada.

Relleno

3. Bata los huevos con el azúcar hasta que resulten pálidos y espesos. Agregue la harina tamizada con movimientos envolventes. Incorpore el resto de los ingredientes.

4. Coloque el relleno sobre la masa ya fría. Cocine en horno moderado durante 30 minutos o hasta que se dore. Una vez listo, deje enfriar, retire del molde y corte en cuadrados.

Cuadrados de manzana

Una combinación de sabores que no pasa de moda. Puede brindar a sus clientes ideas sobre cómo presentar los cuadrados, o cómo hacer con ellos un postre diferente.

12 unidades

INGREDIENTES

Masa:

- 150 g. de mantequilla
- 100 g. de azúcar pulverizada
- 2 huevos
- 250 g. de harina
- 1 pizca de sal

Relleno:

- 1 kg. de manzanas verdes
- 100 g. de miel
- 1 rama de canela
- 150 g. de azúcar
- 1 taza de agua

Cubierta:

- 200 g. de harina
- 200 g. de mantequilla
- 200 g. de azúcar
- 1 cda. de canela

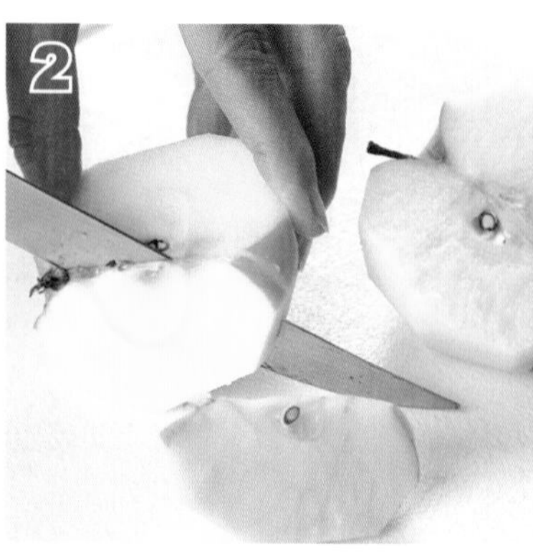

PREPARACIÓN

Masa

1. Bata la mantequilla con el azúcar. Agregue los huevos y siga batiendo. Incorpore la harina con la pizca de sal y una la masa sin batir. Cubra con película plástica y lleve al refrigerador por 30 minutos. Extienda la masa y cubra un molde rectangular. Cocine hasta que esté dorada.

Relleno

2. Pele y corte las manzanas. Retire las semillas.

3. Coloque los ingredientes del relleno en una cacerola y cocine hasta que las manzanas estén tiernas. Cuele y una vez frío, colóquelo sobre la masa.

Cubierta

4. Con las manos, una los ingredientes hasta lograr un arenado. Cubra el relleno y gratine al horno. Deje enfriar un poco y espolvoree con azúcar pulverizada.

Barras de coco y cereal

Estas barras son ideales para la merienda escolar. Piense en un envoltorio atractivo para los niños y agregue una etiqueta con las propiedades nutritivas que poseen.

12 unidades

INGREDIENTES

- 125 g. de mantequilla
- 80 g. de azúcar
- 180 g. de miel
- 125 g. de mantequilla de maní
- 100 g. de arroz inflado
- 140 g. de coco rallado
- 50 g. de cereal de salvado de trigo
- 100 g. de albaricoques secos picados
- 150 g. de uvas pasas
- 150 g. de nueces picadas

PREPARACIÓN

1. Derrita en una cacerola la mantequilla con el azúcar, la miel y la mantequilla de maní hasta que el azúcar se disuelva. Hierva a fuego fuerte 5 minutos o hasta que se forme un jarabe espeso.

2. En otro recipiente, mezcle el arroz inflado, el coco rallado, el cereal, los albaricoques secos picados, las uvas pasas y las nueces picadas. Vierta el jarabe anterior sobre los ingredientes secos.

3. Coloque la preparación en un molde de 20 cm x 30 cm previamente untado con mantequilla, cuidando que toda la superficie quede pareja.

4. Presione con un pisaverduras o con un tenedor, de modo que los cereales se acomoden. Lleve al refrigerador hasta que la preparación esté firme. Desmolde y corte en rectángulos. Envuélvalos en papel celofán y etiquételos.

Muffins

Muffins de limón y naranja

Los cítricos aportan vitamina C, ideal para afrontar la jornada con energía. Si sus clientes lo saben, elegirán estos muffins, porque son deliciosos y sanos a la vez.

20 unidades

INGREDIENTES

- 3 huevos
- 140 g. de azúcar
- Ralladura de 1 limón
- Ralladura de 1 naranja
- 140 g. de harina
- 1 cdita. de polvo de hornear
- 140 g. de mantequilla

Glaseado:

- 1 taza de azúcar pulverizada
- Unas gotas de jugo de limón
- Cascaritas de limón o de naranja para decorar

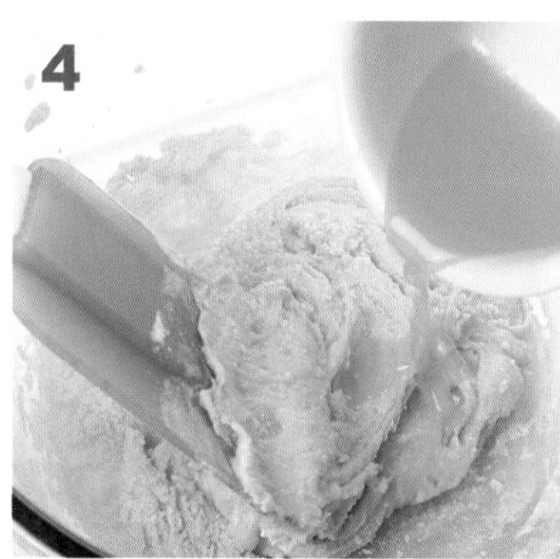

PREPARACIÓN

1. Bata los huevos con el azúcar y las ralladuras del limón y de la naranja.

2. Incorpore la harina, previamente tamizada junto con el polvo de hornear, y mezcle con movimientos envolventes de espátula para evitar que la preparación se baje.

3. Agregue la mantequilla fundida, pero no caliente, integrando con una espátula hasta que la preparación resulte homogénea. Rellene los moldes para muffins y cocine en horno moderado durante 10-15 minutos. Retire del horno, deje enfriar y cubra con el glaseado.

Glaseado

4. En un tazón, bata el azúcar pulverizada con el jugo de limón. La preparación debe quedar consistente para que no chorree sobre los muffins.

Muffins de avena y miel

Ofrezca a sus clientes desayunos especiales con degustación de muffins. También pueden ser una buena opción como agasajo de cumpleaños o una ocasión especial.

20 unidades

INGREDIENTES

- 180 g. de mantequilla
- 130 g. de azúcar
- 3 huevos
- 2 cdas. de mermelada de albaricoques
- 2 cdas. de miel
- 300 g. de harina
- 2 cditas. de polvo de hornear
- 1 pizca de sal
- 4 cdas. de avena
- 100 c.c. de leche

Venda más

Informe que la miel es beneficiosa para el organismo.

PREPARACIÓN

1. Bata la mantequilla con el azúcar hasta obtener una pasta blanca. Agregue los huevos, la mermelada de albaricoques y la miel.

2. Tamice la harina con el polvo de hornear y la sal. Incorpore la avena y mezcle bien.

3. Mezcle de forma alternada la primera preparación con la harina y la leche, integrando todo bien.

4. Rellene los moldes para muffins previamente enmantecados y enharinados y cocine en horno moderado durante 20 minutos.

Muffins de plátano y nueces

Este clásico del desayuno debe consumirse recién horneado.
Dosifique las cantidades en función de la demanda; y de este modo, evitará pérdidas.

12 unidades

INGREDIENTES

- 180 g. de mantequilla
- 130 g. de azúcar morena
- 3 huevos
- 250 g. de plátanos maduros
- 1 cdita. de semillas de cardamomo
- 300 g. de harina
- 2 cdas. de polvo de hornear
- 1 pizca de sal
- 80 g. de nueces picadas
- 100 g. de muesli
- 100 c.c. de leche

PREPARACIÓN

1. Bata la mantequilla con el azúcar morena. Agregue los huevos, los plátanos machacados y las semillas de cardamomo.

2. Tamice la harina con el polvo de hornear y la sal. Agregue las nueces picadas y el muesli.

3. Incorpore al batido la mezcla de los ingredientes secos y la leche, en forma alternada.

4. Coloque la preparación en moldes individuales de muffins y cocine en horno moderado durante 15 ó 20 minutos.

Pudin de peras

Se vende por unidades. Una de las claves de la presentación está en el molde desechable. Recorra el comercio y busque las últimas novedades. Venderá más.

I unidad

INGREDIENTES

- I taza de harina común
- I taza de harina integral
- I cda. de polvo de hornear
- I taza de azúcar morena
- 60 g. de mantequilla
- 50 g. de peras deshidratadas
- 2 huevos batidos
- I taza de leche
- I taza de salvado granulado
- I cdita. de esencia de vainilla
- 60 g. de queso blanco

PREPARACIÓN

1. Mezcle bien los ingredientes secos: las harinas, el polvo de hornear y el azúcar.
Agregue la mantequilla, deshaga con los dedos y trabaje la preparación hasta que resulte un arenado.

2. Una las peras con los huevos, la leche, el salvado, la vainilla y el queso blanco.

3. Incorpore la mezcla de ingredientes secos a la de las peras y mezcle bien, de manera que resulte una preparación homogénea.

4. Coloque en un molde de pudín previamente untado con mantequilla y enharinado. Cocine en horno moderado durante I hora.
Inserte un palillo en el centro para comprobar el punto. Si éste sale limpio, es el punto exacto de cocción.

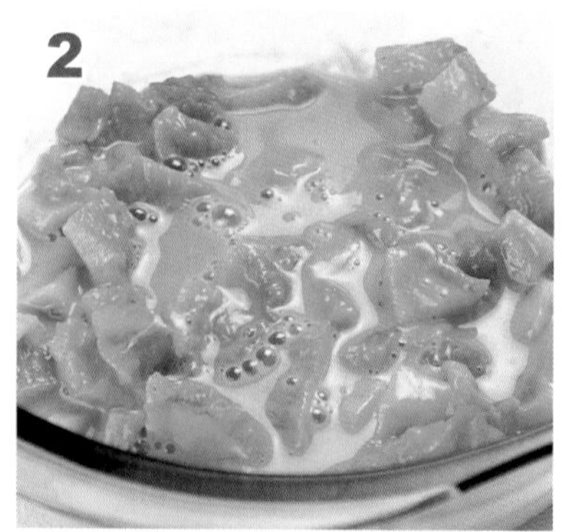

Pasteles

Pastel mousse de fresas

Una opción fresca y frutal que no puede faltar en su catálogo. Si no es tiempo de fresas, reemplácelas por otra fruta de estación. El resultado será igualmente exitoso.

1 unidad

INGREDIENTES

- 1 lámina de bizcochuelo
- Mermelada de fresas
- 4 claras
- 8 cdas. de azúcar
- 250 g. de crema
- 250 g. de fresas
- 7 g. de gelatina sin sabor
- Jugo de 1 limón

Para hacer un producto más atractivo, decore con trozos de fresa y un baño de chocolate.

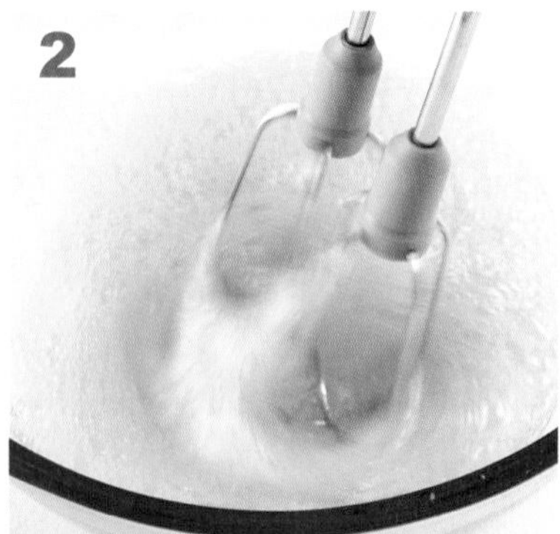

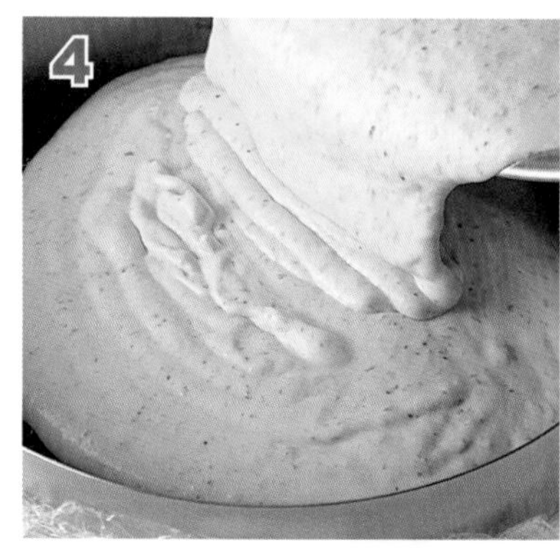

PREPARACIÓN

1. Tapice la base de un molde desmontable con película plástica, cúbrala con la lámina de bizcochuelo, y unte con la mermelada.

2. Bata las claras hasta que estén espumosas, agregue el azúcar poco a poco y siga batiendo hasta lograr un merengue firme. Bata la crema a medio punto.

3. Licúe las fresas y mézclelas con la gelatina caliente previamente hidratada en el jugo de limón. Agregue el merengue con movimientos suaves y envolventes y, por último, la crema batida.

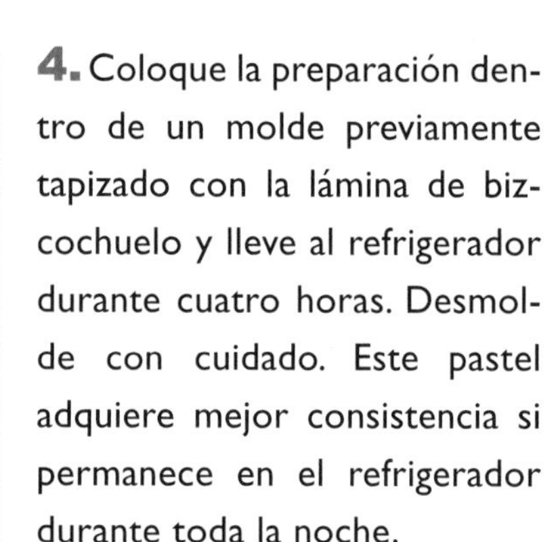

4. Coloque la preparación dentro de un molde previamente tapizado con la lámina de bizcochuelo y lleve al refrigerador durante cuatro horas. Desmolde con cuidado. Este pastel adquiere mejor consistencia si permanece en el refrigerador durante toda la noche.

Marquise

Una delicia que nadie se cansa de comer y recomendar. Brinde ideas sobre cómo convertirla en un postre especial. Sus clientes volverán a comprarla una y otra vez.

10 unidades

INGREDIENTES

- 400 g. de chocolate
- 1 taza de azúcar morena
- 120 g. de mantequilla
- 100 c.c. de crema de leche
- 2 cdas. de harina
- 5 huevos

Secreto útil

El chocolate se puede derretir tanto en el microondas como a baño de María.

PREPARACIÓN

1. Derrita el chocolate con el azúcar, la mantequilla y la crema al baño de María. Es muy importante que el tazón no toque el agua hirviendo de la cacerola. De esta manera, evitamos que el chocolate se queme. La temperatura no debe superar los 34°C. de lo contrario el chocolate se quema.

2. Con un batidor de alambre, mezcle la harina con los huevos.

3. Integre bien las dos preparaciones hasta lograr una mezcla que resulte homogénea.

4. Forre un molde con papel aluminio y unte con mantequilla. Coloque la preparación en el molde y cocine al baño de María en horno bajo durante una hora aproximadamente. Deje enfriar sobre rejilla y finalmente lleve al refrigerador durante una hora.

1

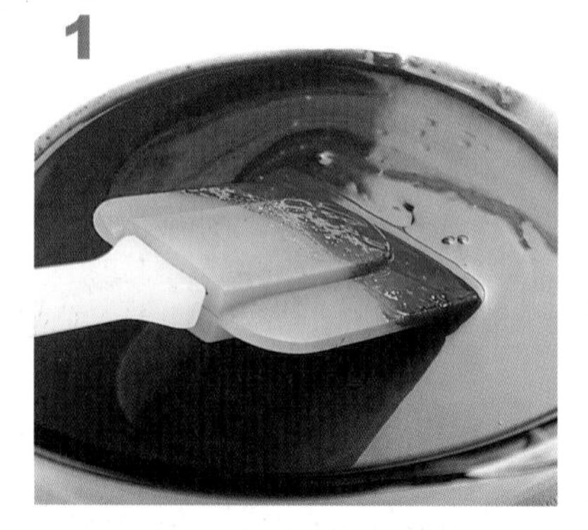

4

Pastel de limón

Los cítricos hacen de cualquier receta un clásico. Anímese a combinarlos: naranja con limón, pomelo y naranja o limón, naranja y pomelo.

8 porciones

Secreto útil

Decore este pastel con cascaritas de frutas confitadas y hojas de menta. ¡Lucirá fresco y diferente!

INGREDIENTES

Masa:

- 4 huevos
- 100 g. de azúcar
- Ralladura de 2 limones
- 100 g. de harina tamizada

Relleno:

- 2 yemas
- 1 huevo
- 120 g. de azúcar
- 60 c.c. de jugo de limón
- Ralladura de 1 limón
- 7 g. de gelatina sin sabor
- 120 g. de mantequilla

Cubierta:

- 400 g. de azúcar pulverizada
- Jugo de 1 limón
- 1 cdita. de agua de rosas

PREPARACIÓN

Masa

1. Bata los huevos con el azúcar y la ralladura de limón hasta llegar a "punto letra" (este punto se produce cuando pueden dibujarse letras con el batidor de alambre y éstas no pierden la forma).

2. Agregue la harina tamizada previamente con movimientos envolventes y espátula para que el batido no baje. Coloque la preparación en un molde untado con mantequilla y enharinado. Cocine en horno precalentado a 180 °C durante 40 minutos aproximadamente. Compruebe el punto insertando un cuchillo o palillo. Si éste sale seco, está listo. Deje enfriar un poco sobre rejilla de alambre y desmolde. Cuando el pastel esté frío, córtelo al medio con un cuchillo filoso para poder rellenarlo. Para que el armado del pastel sea más

sencillo, coloque la capa superior sobre otra rejilla.

Relleno

3. Coloque en una olla las yemas, el huevo, el azúcar y el jugo de limón. Lleve la preparación a fuego fuerte. Cocine revolviendo siempre con cuchara de madera hasta que la mezcla resulte espesa. Agregue la ralladura y la gelatina sin sabor previamente hidratada en un chorrito de agua fría.

4. Deje enfriar un poco y luego incorpore la mantequilla cortada en cubos. Revuelva con cuchara de madera hasta que todos los ingredientes se integren y resulte una crema homogénea. Lleve al refrigerador y una vez que esté firme, rellene el pastel. Mientras prepara la cubierta deje descansar a temperatura ambiente.

Cubierta

5. En un tazón, bata el azúcar pulverizada con el jugo de limón y el agua de rosas hasta lograr que la consistencia sea lisa y sin grumos. Coloque sobre el pastel relleno. Decore con cascaritas confitadas.

Venda más

Las características de este pastel lo convierten en un producto ideal para comercializar entero y no por porciones.

Merengue de frutos rojos

Si el amor entra por los ojos, éste es un pastel para enamorar. Los clientes se lo sacarán de las manos. Realícelo sólo bajo pedido ya que la crema debe estar fresca.

8 porciones

INGREDIENTES

Masa:

- 6 claras
- 14 cdas. de azúcar
- 6 cdas. de azúcar pulverizada

Relleno:

- 400 g. de chocolate
- 400 c.c. de crema de leche
- Ralladura de 1 naranja
- Frutos rojos para decorar

PREPARACIÓN

Masa

1. Bata las claras hasta que estén espumosas. Agregue poco a poco 12 cucharadas de azúcar hasta lograr un merengue firme y brillante. Espolvoree con el azúcar pulverizada e integre a la mezcla con movimientos suaves y envolventes.

2. A continuación coloque el merengue en una manga y sobre una plancha de silicona o una placa untada con mantequilla y enharinada, realice 4 discos parejos. Cocine en horno bajo durante 2 horas o hasta que estén secos. La clave del éxito de esta receta radica en la perfecta cocción del merengue. El fuego debe ser bajísimo (muchas veces conviene dejar la puerta del horno levemente abierta) y, sobre todo, muy parejo. El resultado obtenido será un merengue crujiente y seco en toda la superficie del disco.

1

3

4

Relleno

3. Pique el chocolate. Caliente la mitad de la crema con la ralladura de naranja. Vierta sobre el chocolate.

4. Deje reposar unos minutos y revuelva hasta lograr una mezcla de consistencia uniforme. Deje enfriar y reserve.

5. Bata la otra mitad de la crema con las 2 cucharadas restantes de azúcar hasta que la mezcla esté firme.

6. Unte un disco de merengue con la crema de chocolate. Cubra con el segundo disco y repita la operación hasta armar el pastel. Finalmente cubra con la crema batida y decore con los frutos rojos.

5

6

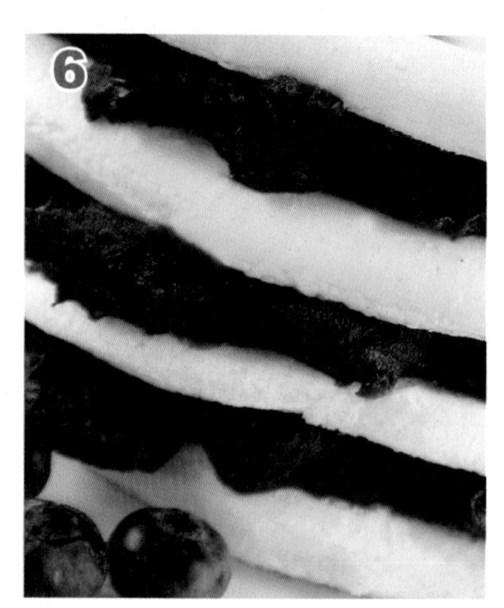

Torta galesa

Un pastel invernal con toda la energía que brindan los frutos secos. Ofrézcalo en latas, cajas o envoltorios especiales que le otorguen un valor agregado. No se arrepentirá.

I unidad

INGREDIENTES

- 250 g. de uvas pasas
- 75 g. de cerezas confitadas
- 100 c.c. de ron
- 125 g. de azúcar
- 50 c.c. de agua
- 125 g. de mantequilla
- 2 huevos
- Ralladura de 1 naranja
- 1 cdita. de bicarbonato
- 25 g. de café soluble
- 125 g. de harina
- 1 pizca de sal fina
- 1 cdita. de especias para pastel
- 75 g. de cáscara confitada de naranja
- 250 g. de frutas desecadas
- 75 g. de nueces picadas

PREPARACIÓN

1. Pique las uvas pasas y las cerezas. Remójelas con el ron por 24 horas. Haga un caramelo con la mitad del azúcar. Rebájelo con el agua y deje enfriar.

2. Bata bien la mantequilla con el resto del azúcar. Agregue los huevos de a uno y siga batiendo hasta integrar totalmente a la mezcla.

3. Agregue el caramelo preparado anteriormente, la ralladura y el café soluble.

4. Tamice todos los ingredientes secos. Incorpore al batido de mantequilla. Sume la cáscara de naranja, las frutas y las nueces. Agregue las uvas pasas y las cerezas remojadas. Coloque en un molde de 27 cm de diámetro untado con mantequilla y forrado con papel encerado en el fondo. Cocine en horno suave aproximadamente 2 horas.

Bizcochuelo de vainilla

Resolver el pastel de cumpleaños con un clásico pastel casero es un servicio que toda mujer agradecerá infinitamente. Innove con los moldes y la presentación.

20 porciones

INGREDIENTES

Masa:

- 4 huevos
- 120 g. de azúcar
- 1 cdita. de esencia de vainilla
- 120 g. de harina tamizada
- 20 g. de mantequilla

Relleno:

- 250 g. de dulce de leche
- 450 g. de chocolate
- 2 tazas de crema de leche

PREPARACIÓN

Masa

1. Bata bien los huevos con el azúcar y la vainilla hasta punto letra (ver pág. 82). Es muy importante que todos los ingredientes estén a temperatura ambiente antes de comenzar la preparación. El punto letra se logra cuando al levantar el batidor es posible dibujar una letra con la preparación.

2. Incorpore la harina tamizada con espátula. Una con movimientos envolventes pero rápidos para evitar de este modo que se baje la preparación y el bizcochuelo pierda volumen al llevarlo al horno.

3. Agregue la mantequilla fundida, pero no caliente, en forma de hilo y mezcle.

4. Coloque la preparación anterior en un molde untado con mantequilla y forrado con pa-

pel encerado. Cocine en horno precalentado a 180 °C unos 45 minutos. Para controlar el punto, inserte un cuchillo o una varilla. Si sale seco, está listo.

4

5. Deje enfriar el bizcochuelo sobre una rejilla y córtelo por la mitad con un cuchillo filoso.

5

6

Relleno

6. Unte con dulce de leche una de las mitades cortadas y cubra con la otra mitad presionando levemente.

7. Pique el chocolate y colóquelo en un tazón. Caliente la crema a punto de ebullición y vuelque sobre el chocolate. Deje reposar unos minutos y mezcle hasta que los dos ingredientes estén completamente integrados. Lleve al refrigerador hasta que tome la consistencia de una crema espesa, con apariencia de pomada.

7

8. Cubra el pastel con la crema de chocolate y decórelo a su gusto. Si quiere tener existencias de bizcochuelos, envuélvalos en película plástica cuando aún están tibios. Se conservan en el congelador durante dos meses.

8

Cheesecake de chocolate

Es diferente y delicioso. Lo ideal es venderlo entero, aunque también puede fraccionarse. Antes de ofrecerlo, piense en el empaque: no es un tema menor.

20 porciones

INGREDIENTES

Relleno:

- 600 g. de queso cremoso
- 200 g. de azúcar
- 300 c.c. de crema
- 250 g. de chocolate blanco
- 6 huevos
- 1 cdita. de esencia de vainilla
- Salsa de fresas

El chocolate blanco es el ingrediente que le da a este cheesecake un toque especial

Masa:

- 360 g. de bizcochos de vainilla
- 150 g. de mantequilla

PREPARACIÓN

Masa

1. Muela los bizcochos de vainilla en la procesadora de alimentos. Derrita la mantequilla. Una ambos ingredientes y vuelva a procesar hasta que se integren completamente, deberá quedar una masa arenosa.

2. Coloque la preparación en la base de un molde desmontable, presionando hacia abajo con una cuchara o pisapapas. Cocine unos minutos en horno fuerte. Retire del horno y deje enfriar en el mismo molde.

Relleno

3. Con batidor de alambre, mezcle la mitad del queso blanco con el azúcar hasta que la preparación resulte homogénea y cremosa.

4. Añada el resto del queso y la crema, y siga integrando, ahora con cuchara de madera.

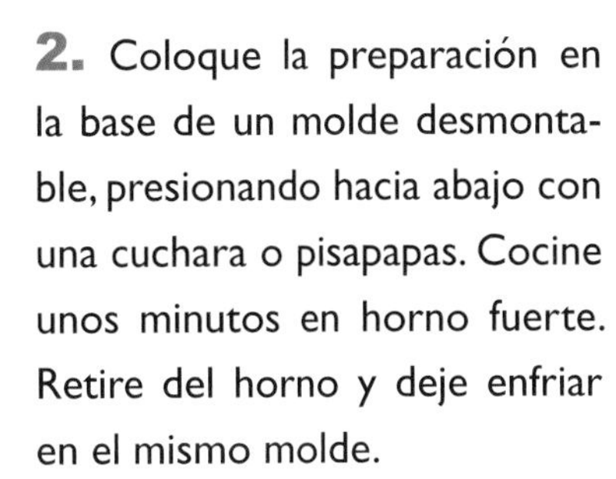

5. Pique el chocolate blanco y derrítalo en el microondas. Recuerde abrir la puerta del microondas cada 30 segundos y revolver el chocolate para evitar que se queme.

6. Incorpore a la preparación anterior los huevos y la vainilla; por último, agregue el chocolate derretido. Integre con movimientos envolventes hasta lograr una mezcla de consistencia homogénea.

7. Coloque la suma del queso y los huevos sobre los bizcochos previamente cocidos. Lleve al horno a 180 °C durante 1 hora. Apague el horno y deje enfriar el pastel en su interior, para evitar que se baje. Durante la cocción, no conviene abrir la puerta del horno.

8. Para decorar puede preparar una salsa de fresas, procesando una taza de fruta con cuatro cucharadas de azúcar y el jugo de medio limón. Cuando las frutas estén completamente desintegradas, añada el azúcar disuelta en el jugo. Decore el pastel con la salsa y trozos de chocolate blanco.

El negocio de
hacer y vender
productos de
Pastelería

Primera Parte
Cómo producir pasteles para vender

Antes de comenzar la producción de pastelería en serie, es imprescindible organizar el espacio en el que se va a trabajar y asegurarse de contar con todos los elementos necesarios. A continuación, hallará detalles que le resultarán de utilidad en esta etapa.

Los valores de la pastelería casera atraen a muchos consumidores: traen reminiscencias de aromas y sabores de la infancia. Precisamente porque los pasteles caseros son sabrosos y exclusivos, día a día tienen mayor demanda en restaurantes, confiterías, hoteles y fiestas, y pueden convertirse en un buen negocio. Por otra parte, la elaboración artesanal ofrece ciertas ventajas. No requiere de un ambiente acondicionado especialmente para trabajar y la inversión inicial es mínima, ya que puede aprovechar los mismos utensilios que hay en su cocina. Y si se organiza para trabajar "en serie", cada día podrá obtener una gran cantidad de unidades, lo que le permitirá pensar en un volumen de venta más elevado. En consecuencia, podrá comprometerse y aceptar pedidos más grandes con pocos días de anticipación.

A continuación le presentamos información sobre todos los detalles que debe tener en cuenta antes de empezar a producir sus pasteles en forma comercial.

Qué infraestructura se necesita

No es necesaria una gran estructura para empezar. Si seguimos el proceso de producción en todos sus pasos, podremos observar cuáles son los elementos fundamentales.

• **Cocina.** La cocina propia resulta un lugar ideal para comenzar. Debe tratarse de un ambiente cómodo, de unos 20 m^2 ó 25 m^2 como mínimo. Ubique sus utensilios en estanterías o alacenas a la vista y al alcance de la mano. Necesitará una mesa para amasar, de al menos 1 m x 0,80 cm para empezar; lo ideal es que sea de mármol o de acero inoxidable, pues son las más higiénicas.

• **Lugar para el enfriado.** Organice un rincón apartado, una repisa o una mesa donde dejar reposar los pasteles ya horneados, mientras se enfrían. Si su idea es empezar a producir en grandes cantidades, le convendrá contar con un garaje o dormitorio vacío en el que podrá ordenar mejor sus productos.

• **Refrigerador.** Imprescindible para almacenar los ingredientes que requieren frío, como mantequillas, levaduras, cremas, etc., así como los pasteles ya terminados. Ubíquelo en un lugar de fácil acceso, pero lo más lejos posible del horno, para que su motor no deba realizar esfuerzos innecesarios (durará más y usted no gastará tanta energía eléctrica).

• **Depósito.** Necesitará un espacio fresco, seco y oscuro para almacenar las harinas y otros ingredientes. Coloque estantes desde el piso hasta una altura accesible, y armarios con puertas.

• **Empaque y administración.** Deberá contar siempre con película plástica, papel celofán y/o aluminio, bolsas de polietileno, bandejas de papel, cartón o plástico, cintas, ganchillos, etc. Elija materiales que no transmitan olores y sabores, y que resulten herméticos, para garantizar una conservación óptima. Disponga de un lugar donde guardar estos elementos. Allí, podrá realizar la parte administrativa de su negocio; un escritorio o mesa, un par de sillas y un teléfono serán suficientes para empezar. Una computadora también resultará útil.

Cómo elegir las herramientas y las materias primas

No es necesario que entre en grandes gastos al comenzar; lo más conveniente al principio es utilizar el mismo equipo con el que hasta ahora realizaba sus pasteles o pudines en casa. Entre otros elementos, no podrán faltar:

• **Horno.** Puede utilizar el horno familiar, que suele ser a gas, pero verifique que no tenga pérdidas de calor para optimizar sus consumos. El costo de una cocina nueva, ronda los USD$ 300.

• **Refrigerador.** Puede utilizar el que tiene en casa, pero es preferible tener uno exclusivo para el trabajo, de ese modo evitará que sus pasteles se contaminen con otros olores. Encontrará una amplia oferta en cuanto a tamaños y calidades, desde los USD$ 400.

• **Batidora.** Comience con modelos familiares, que no superan los USD$ 100. Si su negocio prospera, considere los modelos de mayor capacidad cuyo costo, alcanza hasta los USD$ 800.

• **Procesador de alimentos.** Para amasar, picar, unir alimentos y masas sin esfuerzo. Hay varias calidades y precios. Los básicos cuestan cerca de USD$ 150.

• **Congelador.** Puede utilizar el de su casa o los industriales, con mayor capacidad. Los costos varían según las capacidades y marcas, pero rondan los USD$ 500.

• **Horno microondas.** Existe una gran variedad de acuerdo con las funciones que incluya, como grill o detección automática de la temperatura, pero se consiguen buenas opciones desde USD$ 200.

Otras maquinarias

Si necesita actualizar su equipo o quiere probar los últimos adelantos, éstas son las opciones más avanzadas:

• **Hornos convectores.** Eléctricos y/o a gas, funcionan por la circulación de aire caliente generada por un ventilador interno. Algunos poseen inyección de vapor para humidificar las masas. Según el modelo y la calidad, su costo oscila entre los USD$ 800 y los USD$ 1.000.

- **Hornos rotativos.** Eléctricos y/o a gas. Los productos son cocinados sobre bandejas que giran durante la cocción, por lo tanto, reciben calor en forma pareja. Además, estos hornos poseen un dispositivo que inyecta vapor para mantener la masa con el grado de humedad más conveniente para cada producto. Su precio puede ser mucho mayor que el de los hornos convectores, incluso el doble.

- **Soldadora para bolsas.** Permite sellar herméticamente las bolsas de polietileno o plástico. Según su complejidad y los materiales sobre los cuales puede trabajar, su costo varía desde los USD$ 200.

Utensilios

Para simplificar su tarea, deberá contar con algunas herramientas fundamentales. Los utensilios que le recomendamos a continuación son básicos y se consiguen en las casas de repostería o panificados. Con excepción de las balanzas y los utensilios de silicona, suelen ser económicos: ninguno supera los USD$ 10 por unidad.

- **Balanza.** De diferentes tipos; las electrónicas (digitales) son poco durables y más costosas.

- **Vaso medidor.** Para medir líquidos.

- **Cucharas medidoras.** Para medir pequeñas cantidades de líquidos o sólidos.

- **Batidoras.** En varios tamaños, son eficaces para batir con líquidos o preparar pequeñas cantidades de cremas.

- **Espátula de goma.** Elemento plano y plástico con mango, para mezclar y unir las preparaciones o las cremas.

- **Cornet.** Espátula sin mango. Viene en varios tamaños y se utiliza para unir los ingredientes o raspar la mesa cuando la masa se "pegotea".

- **Tablas.** De madera o plástico, se utilizan para picar ingredientes. Es indispensable tener al menos dos o tres y utilizarlas por separado para ingredientes salados y dulces, para no contaminar los productos con diferentes olores. Las de materiales plásticos, como la melamina, no absorben olores.

- **Cuchillos.** Lo ideal es tener varios, de diferentes tamaños. Deben mantenerse con buen filo.

- **Aros.** Para dar forma a preparaciones que van al horno o armar piezas que van "montadas" unas sobre otras.

- **Colador, cernidor, tamiz.** Permiten que las harinas y otros ingredientes lleguen sin impurezas a la preparación. El cernidor y el tamiz tienen perforaciones más pequeñas que el colador y son un excelente filtro para evitar la aparición de grumos en los ingredientes secos.

- **Cortadores.** Redondos y lisos, en varios números correspondientes a diferentes tamaños. Deben ser firmes y de buen filo para no deformar las piezas.

- **Placas.** Se utilizan para llevar los productos al horno; las más convenientes son las de bordes bajos. Para comprar la más adecuada, siempre tenga en cuenta la medida de su horno

- **Rodillos.** Aunque los más conocidos son los de madera, los hay también de materiales como mármol o acero.

- **Moldes y placas de silicona.** Fundamentales a la hora de preparar masas que se adhieran a las superficies. Las placas permiten también darles forma porque son flexibles.

- **Papel manteca.** Evitan que las masas se adhieran a los moldes y que los bordes queden demasiado cocidos o secos.

- **Papel aluminio.** Se utiliza para cerrar herméticamente y conservar materias primas y preparaciones en curso.No es apto para llevar al microondas.

- **Película plástica.** Film transparente y autoadherente que sella los alimentos. No puede usarse en el microondas.

- **Moldes de papel.** Se utilizan para pan dulce, pudines, muffins, etc. Se consiguen en diferentes tipos de papel y varias medidas.

- **Moldes de aluminio.** Dan forma a bizcochuelos, pan dulce, muffins, pudines, etc. Aseguran una excelente transmisión del calor.

- **Pinceles.** Se utilizan para pintar la superficie de las masas, y darles un aspecto más atractivo.

- **Cuchara de madera.** Se puede usar para mezclar sobre superficies sensibles como teflón. Es importante mantenerla limpia para que no transmita olores, y en buen estado para que no desprenda astillas.

- **Tijeras.** Deben estar siempre afiladas y limpias. Es recomendable que no sean usadas con otros fines para que no pierdan filo o se ensucien con elementos tóxicos o con sabores u olores fuertes.

- **Manga y picos.** La manga es un cono de tela o plástico flexible, utilizada para decorar. Los picos permiten dar forma e introducir la crema en el interior o la superficie de muffins, tartas o pasteles.

- **Churrera.** Tiene un tubo metálico donde se coloca la masa. Se hace presión con un émbolo sobre la masa, para obtener los churros y darles el tamaño deseado. Puede tener un accesorio para rellenarlos una vez cocidos.

- **Tazón para mezclar.** De plástico o metal, permite trabajar cómodamente en la mezcla de los ingredientes y preparar las cremas. Es ideal tenerlos en varios tamaños.

Los ingredientes

Una de las claves para producir pastelería artesanal con fines comerciales es conocer los insumos que va a utilizar. Haga tantas pruebas como sea necesario y cada vez que modifique la marca o calidad de algún ingrediente repita la receta, para verificar que no haya cambios en la textura, sabor o calidad final.

Cómo comprar los ingredientes

Para comenzar puede abastecerse con las bolsas pequeñas que venden en los supermercados. Cuando su negocio crezca, podrá dirigirse a los canales comerciales para fabricantes (mayoristas, distribuidores).

Verifique siempre la fecha de vencimiento de cada ingrediente y almacénelos en la forma indicada.

Las harinas y azúcares deben permanecer en un espacio fresco, seco y oscuro. Las frutas y lácteos deben conservarse en el refrigerador.

PRECIO PROMEDIO

kg. de pastel............................USD$ 3,00
kg. de harina de trigo..............USD$ 0,40
kg. de azúcar...........................USD$ 0,40
kg. de mantequilla...................USD$ 1,50
paquete de levadura 500 g......USD$ 0,80
kg. de margarina......................USD$ 0.80

• Harina

En pastelería, se trabaja básicamente con harina de trigo. En el mercado hay dos tipos, de acuerdo con la molienda: la harina 000 que se utiliza siempre en la elaboración de panes, porque permite un buen leudado, y la harina 0000, más refinada y blanca, que se aplica en pastelería. La harina leudante es harina de trigo mezclada con agentes leudantes químicos. La harina integral es de color oscuro y según el grado de molienda se presenta en tres formas: superfina, fina y gruesa. Puede utilizarse sola o combinada con harina común.

- Averigüe si sus clientes conocen y aprecian la harina integral y, en tal caso, genere una línea especial.

- Si resuelve preparar recetas para celíacos, deberá utilizar harinas sin gluten, como la de maíz o la de arroz.

• Azúcar

Molida. Es la más utilizada. La de tipo más blanco, puro y seco resulta ideal para merengues de batido en crudo. La del tipo más oscuro, grueso y húmedo se clarifica en la cocción y por eso puede utilizarse para preparar almíbares.

Pulverizada. Es el azúcar molida, con textura de polvo. Se emplea en la preparación de cremas y en decoración. También se la conoce como azúcar glass o azúcar impalpable.

Granulada. Se trata de azúcar común, agrupada en pequeños granos. Se utiliza para decorar.

Morena. Es azúcar molida teñida con melaza. Se utiliza especialmente en la decoración o en la preparación de pasteles cuya masa debe tomar un color más oscuro o rústico.

- Para calcular las cantidades que debe adquirir, haga una proyección estimada para un mes, y realice sus compras según ese cálculo.

- Trate de no almacenar cantidades excesivas de productos que puedan perder frescura, pero evite recurrir a una compra minorista cada vez que le falta algo esencial, ya que eso elevaría sus costos innecesariamente.

- **Materias grasas**

Mantequilla. Es la materia grasa más empleada para la preparación de recetas artesanales, ya que su sabor es típico de la pastelería casera.

Margarina. Se obtiene a partir de una mezcla de grasas o aceites con leche y aditivos. Hay margarinas blandas y duras. Las blandas se asemejan a la mantequilla, mientras que las duras resultan especiales para la elaboración de hojaldres.

Queso blanco: Se utiliza como materia grasa en la preparación de las masas.

No pueden faltar: Huevos, leche, sal, polvo de hornear, crema de leche, chocolate, cereales, frutos secos, cítricos, frutas, coco, miel, mermelada, gelatina sin sabor, especias, esencia de vainilla, frutas disecadas, etc.

- **Leudantes**

Para ayudar al leudado de las masas suele emplearse polvo de hornear. Es una preparación de bicarbonato de sodio fácil de manejar y no tóxica, que no agrega sabor a la preparación. Trabaja cuando se le somete al calor. Hay otros leudantes químicos: el bicarbonato de potasio y el de amonio, aunque no son los más utilizados..

- La frescura de la pastelería artesanal es fundamental como valor de venta. Trate de conseguir el mejor material para la conservación; las galletas pueden ir envasadas en bolsas de papel celofán, las tartas frutales o las preparaciones que incluyen cremas deben conservarse en el refrigerador, etc.

- Es importante que en cada uno de los empaques indique:
  - Fecha de elaboración.
  - Modo de conservación.
  - Fecha de vencimiento o fecha apta para el consumo.

Segunda Parte
Cómo realizar su "plan de negocio"

Para planificar su negocio tal como lo hacen los empresarios exitosos, conviene pensar y esbozar por escrito un borrador de un "plan de negocio". Esto le servirá para detectar los posibles inconvenientes antes de que aparezcan y para evaluar los posibles alcances del negocio.

Así comience en su propia cocina realizando tartas frutales para vender a domicilio, le conviene realizar un plan de negocio. Se trata de un borrador detallado donde debe indicar sus expectativas: si va a vender todo tipo de productos de pastelería o exclusivamente algunos (pasteles, pudines, galletas o cuadrados, por ejemplo), qué características únicas tendrán sus productos (recetas, presentación, ingredientes), a qué clientes apunta, sus objetivos comerciales y los tiempos estimados para lograrlos.
Esto le permitirá definir sus necesidades de inversión inicial (por ejemplo, para comprar los moldes y utensilios necesarios) y establecer una perspectiva realista de recuperación de esa inversión y de obtención de ganancias.

Los puntos fundamentales de su plan de negocio

• **Productos.** Describa qué tipo de pasteles va a hacer. Si eligió los cuadrados, determine qué valores únicos les dará, y cómo los va a diferenciar de los que produce la competencia: ¿más nueces? ¿Otra forma? ¿Recetas para diabéticos?

• **Competencia.** Estudie a sus competidores directos (otros fabricantes de pastelería) e indirectos. Si planea vender sus pasteles en confiterías, serán competidores todos los demás fabricantes de productos dulces que puedan reemplazar a los suyos, aunque no se trate específicamente de pastelería.

• **Ventas y mercadeo.** Debe definir a sus potenciales clientes: sus gustos, en qué momentos compran pasteles, qué les atrae o disgusta de otros que podrían competir con los suyos. Luego tendrá que decidir si competirá por el precio (vendiendo más barato que la competencia) o haciendo productos exclusivos y con un precio mayor. En este caso, defina cómo los va a diferenciar (con ingredientes de primera calidad, presentación vistosa, entrega a domicilio, etc.).

• **Requisitos de operación.** Debe averiguar todos los aspectos legales, así como los requisitos

para lograr la certificación de los organismos que controlan los alimentos.

• **Producción.** Deberá definir cuál es el equipo necesario para fabricar los pasteles, galletas, muffins que haya decidido realizar. Analice el proceso de producción y entrega, observando si será igual para todos o habrá diferencias según la fecha de vencimiento (los pasteles con crema se conservan frescos mucho menos tiempo que las galletas, por ejemplo).

• **Administración.** Establezca un presupuesto detallado y lo más real posible. Separe los costos de inversión necesarios para comenzar a hacer sus pasteles, y los costos de funcionamiento. También es importante que establezca una proyección de ventas para un mes o un año, y analice cuánto debe vender para recuperar sus costos y obtener una ganancia.

UN CASO EXITOSO

Uno de los hijos de María Belén Andujar, la creadora de "BEA Alimentos", tiene celiaquía. Éste es el nombre que recibe la intolerancia total y permanente a proteínas contenidas en el gluten de trigo, avena, cebada y centeno (TACC). El único tratamiento posible es eliminar de la dieta aquellos alimentos que contengan estos cereales en cualquiera de sus formas. María Belén buscaba proveedores de productos alimenticios para celíacos. Como no los encontraba, decidió producirlos ella misma. Desde su casa en una pequeña ciudad, se puso en contacto con distintas asociaciones dedicadas al tema. El paso siguiente fue conseguir varias recetas, y empezar a fabricarlas.
Después de muchas pruebas, en 2001, comenzó con su negocio de pastelería y panadería sin gluten para celíacos, para el cual invirtió 10 mil dólares.
Rentó un espacio donde instaló una pequeña planta de fabricación, con algunos hornos familiares. Se ocupó de obtener para sus productos la aprobación de diferentes asociaciones de celíacos, y consiguió las habilitaciones de los entes reguladores. Luego, convocó a dos personas para que la ayudaran, y contrató diseñadores para los empaques y su logotipo.

Hoy fabrica harina y almidón de maíz, premezclas sin gluten para bizcochuelos, ñoquis, panes y pizzas, además de bizcochuelos, muffins y galletas, todos basados en harinas de arroz, maíz, y otros alimentos sin gluten. Armó su página web en español e inglés (www.bea-alimentos.com.ar) en la que informa sobre la enfermedad y brinda recetas.
Sus productos se comercializan en tiendas y supermercados. Los vende a un costo que va desde los USD$ 3 a USD$ 10, según el producto.

Tercera Parte
Cómo establecer el precio de sus pasteles

La correcta fijación del precio es otra clave fundamental para el éxito de cualquier negocio. Si cobramos muy poco, no alcanzaremos a cubrir nuestros gastos, y si cotizamos demasiado, nuestro producto será invendible. Aquí le explicamos cómo calcular el precio justo.

Para determinar el precio que pondrá a sus pasteles, primero debe calcular en forma precisa sus costos mínimos (fijos y variables) y definir cuántas unidades de tartas, pudines, muffins o galletas debe vender para cubrirlos. También debe determinar en cuánto tiempo quiere recuperar el dinero que invirtió en instalarse y realizar el trabajo. Pero, además, es indispensable analizar el valor de mercado, es decir, lo que cobran otros pasteleros artesanales. Considere cuánto quiere ganar por su "mano de obra". Si ofrece un producto muy especializado, podrá exigir un pago acorde. Éste es también el momento de pensar en la forma de pago: ¿aceptará que le abonen sólo al contado o podrán pagarle varios días después de entregar?

Lo que hay que saber para fijar el precio

Ponerles precio a sus pasteles artesanales puede resultar sencillo si tiene en cuenta los siguientes aspectos:

• Los costos fijos

Son los gastos que deberá afrontar sin importar el volumen de su producción, ya que son todos aquellos gastos que son necesarios para mantener en funcionamiento la estructura de trabajo. Entre ellos:

• La renta del lugar donde trabaje (si es que debe rentarlo). Por ejemplo, un apartamento de dos ambientes, con una cocina amplia para trabajar:
Valor aproximado: USD$ 400.

• Los diferentes gastos que genera ese espacio (tasas y contribuciones municipales, el mínimo de luz, gas, agua y teléfonos, limpieza).
Valor aproximado: USD$ 80.

• El pago de impuestos que marca la ley (pagos mensuales al organismo recaudador, impresión de facturas, etc.).
Valor aproximado: USD$ 50.

Estos gastos generalmente son mensurables y debe tratar de recuperar un porcentaje de ellos con cada una de sus ventas, para amortizar el gasto. Es decir, cada cosa que venda la ayudará a solventar estos costos fijos. En una primera etapa trate de reducirlos lo máximo posible.

• Los costos variables

Son aquellos que se van modificando según la cantidad de pasteles, muffins o pudines que produzca y venda. Por ejemplo: la infraestructura, los ingredientes, la mano de obra directa y la compra de

utensilios. Además, la comercialización incluye:

a. Papelería comercial: su tarjeta, las facturas, remisiones, etc.

b. Empaque: moldes de papel, papel celofán o foil, bolsas, etiquetas.

c. Gastos de promoción: todo lo que invierta en difundir sus productos (folletos o catálogos con buenas fotografías, volantes, el salario de quien los va a distribuir, avisos en algún diario o revista, página web, etc.).

d. Servicios: luz, teléfono, gas y agua (lo que consuma de más sobre el abono, el excedente).

e. Venta: si tiene vendedores, en este punto debe incluir sus honorarios (básicos y comisiones).

f. La entrega: el combustible, seguro del transporte, estacionamientos, amortizaciones, etc. (tanto si la tarea la realiza usted con su vehículo, como si luego contrata a un ayudante con una moto, por ejemplo).

• Sus honorarios

(el costo de mano de obra)

Para determinar cuánto desea obtener como pago por su trabajo, evalúe su capacitación y cualquier otro aspecto que tenga que ver con su dedicación personal, como los trabajos que ha dejado de lado para comenzar a hacer sus pasteles. Una forma de estimar la cifra es determinar un precio por hora de trabajo y multiplicarlo por el tiempo que le insumirá realizar un pedido (desde que comienza a producirlo hasta el momento en que lo entrega).

Es importante que determine el valor mínimo que aceptará por su trabajo. Esto le permitirá negociar con mayor flexibilidad.

• Forma de pago

En general, los pasteleros artesanales cobran en el momento y en efectivo. Pero es posible que una empresa le encargue un pedido grande, o le soliciten el servicio para una fiesta, y le propongan el pago con cheques, tarjetas de crédito y en cuotas o, por qué no, a treinta días después de la entrega de sus productos. Evalúe si en esta etapa de su negocio necesita efectivo para reponer materias primas o si puede esperar para cobrar. Si va a aceptar un pago diferido, puede "recargar" el precio con un porcentaje adecuado (5 % ó 10 %).

• El valor de mercado

Averigüe en detalle el precio de pasteles, galletas, muffins o pudines similares a los que usted va a fabricar, en los lugares donde piensa comercializarlos (ya que los precios varían mucho según la zona). Su negocio puede prosperar diferenciándose por el precio (vender más económico y mayor cantidad) o por la exclusividad (vender más costoso y menor cantidad). En el último caso, deberá brindar características que el consumidor considere valiosas.

En general, la pastelería artesanal se vende un 30% por sobre el costo, aunque por un pudín con una receta exclusiva podría pedir más.

Cuarta Parte
Cómo vender sus productos

Las estrategias de mercado de las grandes empresas también pueden ser aplicadas en un negocio pequeño. A continuación, presentamos algunos de estos lineamientos básicos y le mostramos cómo puede utilizarlos para planificar la comercialización de sus tartas, galletas y pasteles.

Lo que hay que saber sobre los clientes (análisis FODA)

¿Es más conveniente realizar pasteles sencillos y accesibles en grandes cantidades o más sofisticados y con un precio más alto? ¿O productos especiales: sin gluten, dietéticos? Para responder a estas preguntas, necesitará recurrir a una pequeña investigación de mercado. Deberá definir cuidadosamente el target de sus clientes y, luego podrá elegir las mejores maneras de llegar a él a través de la promoción o publicidad.

Antes de comenzar a fabricar pasteles, debe investigar el mercado y definir lo más claramente posible cómo serán sus clientes, dónde están, qué les gusta y qué necesitan. Determine si será capaz de rivalizar en precio, calidad o servicio, y observe si hay mucha competencia: además de recorrer negocios del ramo, trate de visitar muestras de pastelería y consultar diversas publicaciones del sector.

Realice un análisis FODA (son las siglas de Fortalezas, Oportunidades, Debilidades y Amenazas) de su proyecto para evaluar objetivamente las condiciones en las que se encuentra. Piense en estos cuatro aspectos con relación a su emprendimiento y sus pasteles, para explotar las fortalezas y oportunidades, mejorar las debilidades y conjurar las amenazas. Tenga en cuenta que los clientes y el mercado van cambiando, por eso la investigación de mercado no se realiza una sola vez: seguramente deberá realizar adaptaciones.

- **Caso 1**

¿Se siente cómoda preparando recetas en serie y le salen siempre igual? ¿Es esa su fortaleza? Piense en preparar cuadrados o muffins, por ejemplo. Los "Brownies" (ver pág. 58), los "Cuadrados de manzana" (ver pág. 62) o los "Muffins de plátano y nuez" (ver pág. 72) le resultarán ideales. Puede ofrecerlos en los comercios que venden alimentos ya preparados para llevar, como una opción de postre.

Para aprovechar esta oportunidad, deberá presentarlos en moldes vistosos de papel con su marca, para que así pueden ser exhibidos y entregados al cliente. Si el comercio no lo permite, tenga en cuenta que esto puede ser una gran debilidad, en la medida en que el produc-

to no quedará vinculado con usted sino con el lugar que lo vende.

• **Caso 2**

Si su fortaleza es realizar trabajos sencillos, que lleven poco tiempo y se vendan en grandes cantidades, los "Amaretti" (ver pág. 44), los "Palitos de naranja" (ver pág. 46) o las "Choco galletas" (ver pág. 48) son opciones ideales para usted. Una oportunidad es recorrer confiterías y ofrecerlos como bocadillo dulce que acompañe el café o el té de la tarde. Tendrá que reponerlo frecuentemente para que el producto se mantenga siempre fresco; por lo tanto, necesitará una buena logística de entrega, y si no la tiene, ésta puede ser su debilidad. Trate de organizar un envío cada dos días, por ejemplo; de esta forma, podrá organizar cómo los enviará. También puede ofrecerlos, con la misma presentación, a los distribuidores mayoristas de productos para confiterías.

• **Caso 3**

¿Usted prefiere realizar recetas complejas, que demandan tiempo y elaboración pero se venden a un precio mayor? ¿Es creativa y desea elaborar recetas originales, esta es su fortaleza? No lo dude, todas las tartas, pasteles y hojaldrados de este libro le resultarán ideales. Una oportunidad es ofrecerlas en fiestas y reuniones empresariales, donde se valora la exclusividad. Contáctese con organizadores de este tipo de eventos y con el área de Relaciones Institucionales o Recursos Humanos de las empresas, quienes organizan sus eventos. Su debilidad es que, por la complejidad del producto, no podrá preparar grandes cantidades con poco tiempo de anticipación. Una manera de contrarrestarla puede ser elaborar etapas de algunas recetas y conservar en el congelador.

Si evalúa que su debilidad es la logística, una opción válida para contrarrestarla es realizar "Torta galesa" (ver pág. 88). Aunque su preparación es muy compleja, esta torta se conserva muchísimo tiempo en buen estado, es muy valorada por los conocedores y se puede vender a un buen precio. Una excelente idea es realizarlas en pequeños tamaños y ofrecerlas como obsequio empresarial.

Target

Hay clientes que valoran una receta exclusiva, y están dispuestos a pagarla un poco más. Otros eligen por el precio y otros más necesitan una entrega a domicilio. Algunos comprarían pasteles sin azúcar o sin gluten. Cuanto mejor defina al cliente y sus necesidades, más sencillo le resultará determinar qué producto hacer y cómo venderlo. Antes de comenzar a fabricar pasteles, debe investigar el mercado y definir lo más claramente posible cómo serán sus clientes, dónde están, qué les gusta y qué necesitan. Determine si será capaz de rivalizar en precio, calidad o servicio.

Hay clientes que valoran una receta exclusiva, y están dispuestos a pagar un poco más. Otros eligen por el precio, y otros más necesitan una entrega a domicilio. Algunos comprarían pasteles sin azúcar o sin gluten. Cuanto mejor defina al cliente y sus necesidades, más sencillo le resultará determinar qué producto conviene hacer y cómo venderlo.

Promoción y publicidad

En general, la pastelería artesanal se vende a conocidos, en fiestas o a través de otros canales de distribución (ver más adelante), pero también puede hacer una promoción a mayor escala usted misma, de manera simple y económica. Por ejemplo, con folletos que distribuya a la mano, en comercios de la zona o dentro de los periódicos. Los medios de comunicación "zonales" (pequeños periódicos o radios) suelen tener tarifas muy accesibles, y aunque no tienen la cobertura de un medio grande, tienen como ventaja que llegan precisamente a la zona donde usted puede vender.

Deberá diseñar avisos claros y atractivos, explicando cómo son sus pasteles artesanales, qué tipos realiza, dónde y cómo se consiguen, un teléfono, y una página web o dirección electrónica si los tiene, por si alguien quiere encargarle productos por esta vía. Trate de organizar y anunciar degustaciones y promociones, como "compre dos al precio de uno" o realizar pudines o tartas con distintas formas para fechas especiales, como el día de la madre. También puede enviar su folleto a las empresas o comercios de la zona junto con un muffin o galletas, para darse a conocer.

Cómo va a vender y a entregar

¿Cómo hará llegar los pasteles a sus clientes? Si no planifica una forma sencilla y económica de distribución y venta, estará limitada a los lugares a los que acceda por sus propios medios o al que lleguen sus clientes casualmente. Piense si va a realizar la venta particular y usted misma o si contará con vendedores. También puede contactar a comercios minoristas de la zona o buscar un mayorista o distribuidor. Finalmente, hoy existe otro canal de venta y distribución nada desdeñable: Internet.

• La venta particular

En una primera etapa puede comenzar por sus propios medios (ofreciendo "puerta a puerta" o a sus conocidos). Esta forma tiene la ventaja de ser económica y brindar un toque personalizado en la atención. Aproveche para conocer a sus clientes y conversar con ellos sobre sus intereses y necesidades.

Una buena idea es ofrecer pequeñas tartas con el nombre de una empresa para obsequiar a fin de año (tenga en cuenta que los regalos empresariales se deciden con meses de antelación) o producir muffins de maíz para vender a celíacos. Recuerde que si debe entregar una gran cantidad de pasteles necesitará un vehículo; llegado el caso, puede rentarlo.

• Los vendedores

Si prefiere dedicarse en forma exclusiva a la producción, puede contratar vendedores.

Consulte a conocidos por potenciales interesados. Lo ideal es contratar a un vendedor de productos afines a los suyos, para que sume sus tartas o muffins a los artículos que está ofreciendo actualmente.

Los vendedores suelen cobrar un importe fijo para cubrir sus gastos de movilidad, y un porcentaje que se pacta de entrada sobre lo logrado en cada venta.

• El comercio minorista

Ármese de algunos productos para dejar como muestra de degustación, de folletos y... ¡de valor!

Pida una entrevista con los dueños o encargados de restaurantes, hoteles, confiterías o bares, tiendas de alimentación natural, casas de fiestas. Tenga en cuenta que el comerciante le impondrá un valor mayor para quedarse con ese margen como su ganancia. Averigüe cuál será el recargo, y evalúe si le conviene bajar un poco su precio para no subir demasiado el costo al cliente final.

Sepa pedir un buen espacio para la exhibición de sus artículos e imprímale a ese sector su toque personal para diferenciar sus productos y llamar la atención del consumidor.

• El mayorista o distribuidor

Para vender en los comercios mayoristas, tendrá que bajar sus precios, porque ellos los van a incrementar luego para que la operación les resulte beneficiosa.

Además, seguramente le pedirán diferentes documentos legales (facturas, certificados de elaboración según las normas vigentes y de inscripción en organismos de salud, por ejemplo).

• Internet

La venta a través de la red permite reducir considerablemente los costos variables, ya que alcanza con subir la información a la página sin necesidad de invertir en folletos o catálogos, vendedores, muestras, etc.

Panadería
Panes
Panes saborizados
Bizcochos y palitos
Panes dulces

INGREDIENTES

1 - Vainas de cardamomo
2 - Sésamo integral
3 - Almendras
4 - Nueces
5 - Estrellas de anís
6 - Hierbas frescas: tomillo, estragón y cebollín
7 - Levadura seca
8 - Esencia de vainilla
9 - Levadura fresca
10 - Leche
11 - Crema de leche

12 - Uvas pasas
13 - Mantequilla
14 - Azúcar
15 - Polvo para hornear
16 - Aceite de oliva
17 - Harina 000
18 - Trigo entero
19 - Azúcar morena
20 - Agua
21 - Centeno en grano
22 - Salvado
23 - Avena en hojuelas

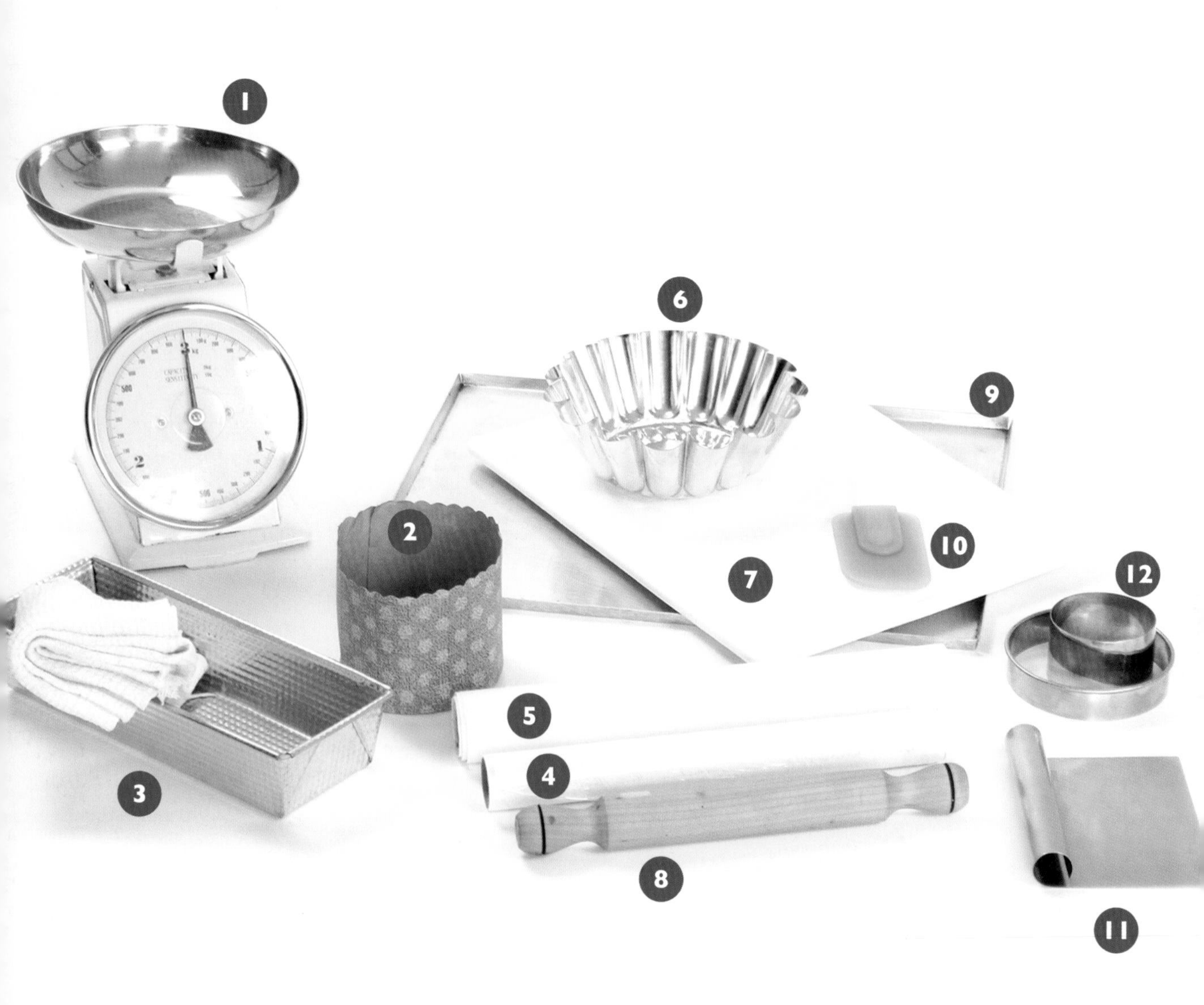

UTENSILIOS

1 - Balanza
2 - Molde descartable de pan dulce
3 - Molde rectangular
4 - Película plástica
5 - Papel encerado
6 - Molde de aluminio
7 - Tabla de picar
8 - Rodillo de amasar
9 - Placa para horno
10 - Espátula de goma
11 - Cornet
12 - Cortadores varios

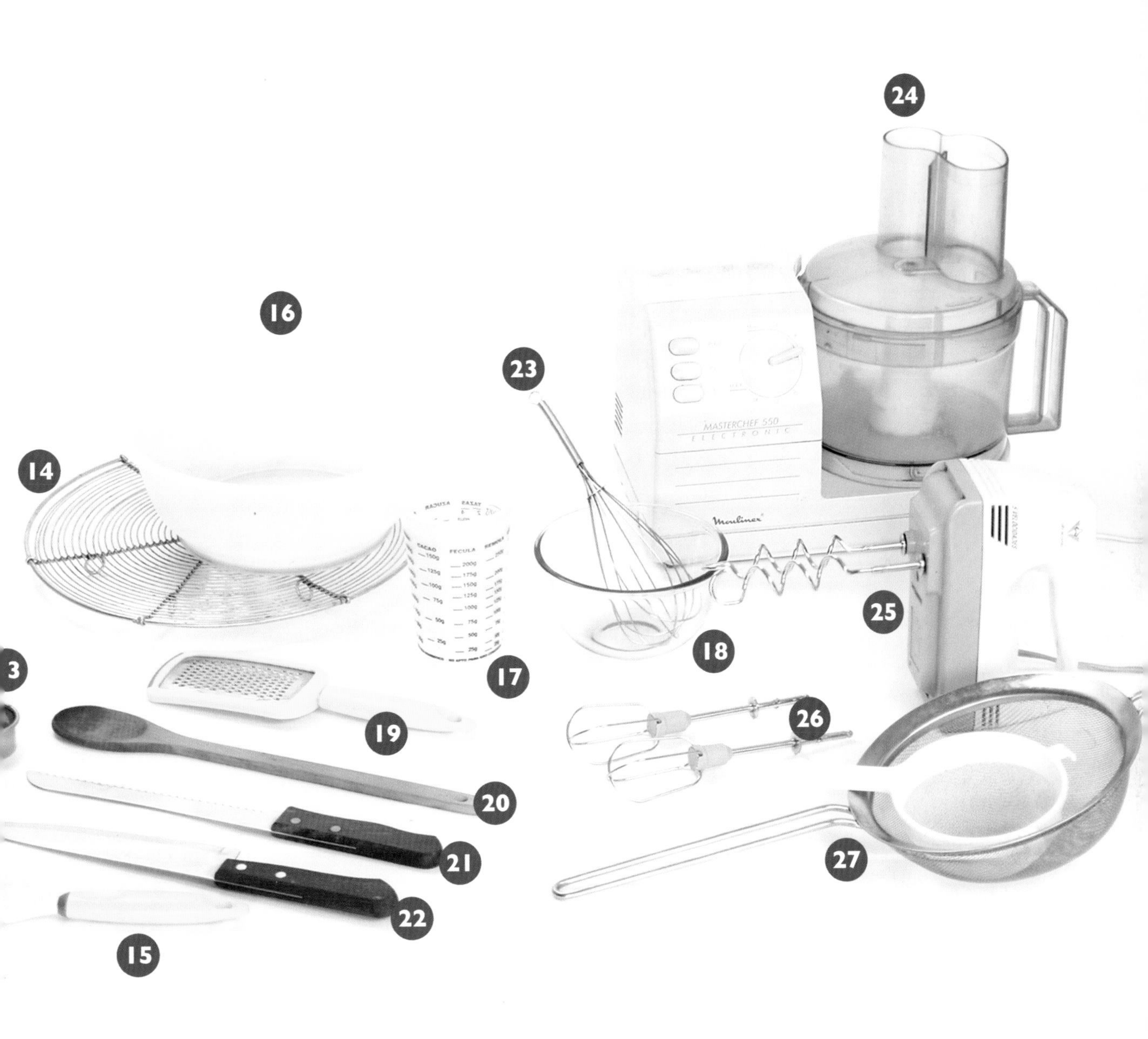

13 - Cortador pequeño
14 - Rejilla de alambre
15 - Pincel
16 - Tazón
17 - Jarra para medir
18 - Tazón pequeño
19 - Rallador
20 - Cuchara de madera
21 - Espátula de acero
22 - Cuchilla
23 - Batidora manual
24 - Procesador de alimentos
25 - Batidora
26 - Repuesto de la batidora
27 - Tamices

Técnicas básicas

Amasar profesionalmente requiere de una serie de estrategias y conocimientos para no fracasar en el intento. En estas páginas encontrará consejos útiles y todo lo que necesita saber antes de comenzar.

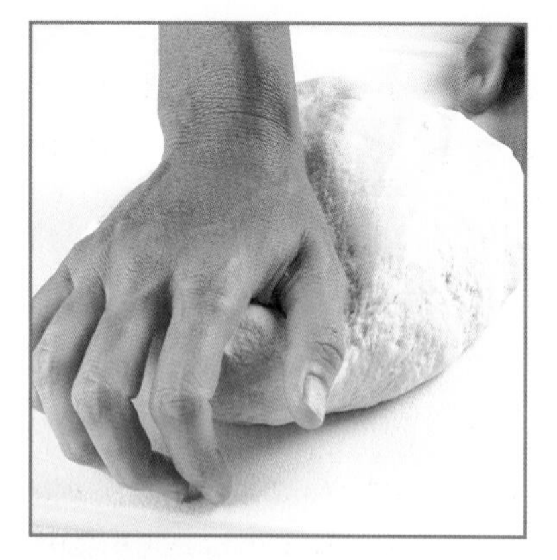

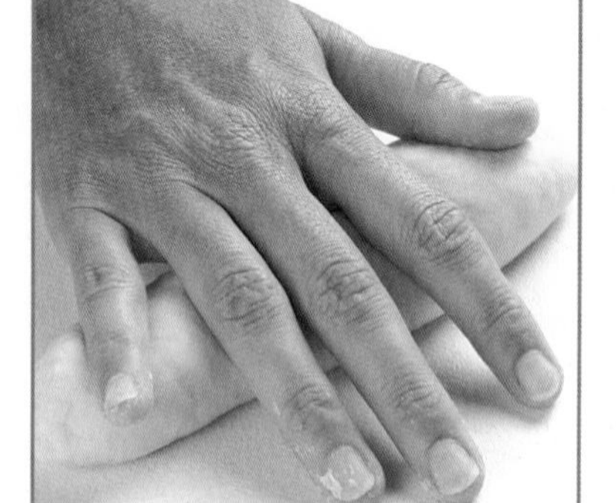

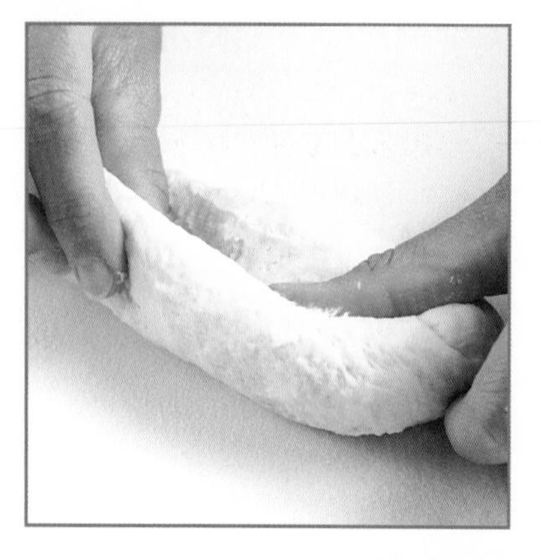

AMASADO

Es uno de los pasos más importantes en la elaboración del pan. Este proceso permite que el pan crezca y resulte esponjoso. Si la masa es un poco pegajosa, con el amasado tomará más cuerpo. La clave es no agregar mayor cantidad de harina de la necesaria. Amase hasta que la masa se despegue de la superficie de trabajo y de las manos. Esto le llevará aproximadamente entre 10 y 15 minutos. Los movimientos básicos del amasado son tres:

Plegar:
doblar la masa en dos y traer el borde alejado hacia uno.

Empujar:
llevar hacia delante, unir los pliegues y hacer rodar la masa.

Girar:
rotar la masa un cuarto de vuelta y comenzar nuevamente con el amasado.

MOLDEADO Y CORTE

El moldeado o torneado de las piezas de pan resulta un paso fundamental, ya que si éstas no están bien confeccionadas, pueden deformarse durante la cocción. Es indispensable respetar los tiempos de leudado y reposo de la masa antes de proceder al moldeado.
Los cortes en la superficie del pan ayudan a lograr una forma determinada y característica del tipo de pieza. Se les considera la firma del panadero. Sus funciones son completar la fermentación del pan dentro del horno y facilitar la cocción. Deben realizarse con una cuchilla bien afilada, con unas tijeras o con una hojilla de afeitar que

destinaremos especialmente para la cocina. Los cortes deben ser de 1 cm. de profundidad.

En los panes de harina blanca los cortes deben realizarse después del proceso de leudado, antes de llevarlos al horno; mientras que en los panes de harinas integrales los cortes deben realizarse luego del moldeado y antes del segundo leudado.

Si la masa es elástica, los cortes deben ser profundos; en cambio, si la masa ha leudado demasiado y tiende a caerse, los cortes deben ser superficiales.

COCCIÓN

Uno de los secretos para hornear un buen pan es una cocción pareja. Para obtenerla, debe trabajar siempre con el horno precalentado. Si desea establecer el tiempo aproximado de cocción, calcule alrededor de 1 hora por cada kilogramo de pan. Las piezas pequeñas deben hornearse a mayor temperatura que las grandes. Si la temperatura del horno es baja, los panes pequeños tardan demasiado tiempo en cocerse y pueden secarse; si la temperatura del horno es alta, las piezas grandes se doran por fuera pero no llegan a cocerse por dentro. Una manera de verificar si el pan está listo es golpear su base: si ésta produce un sonido hueco, entonces puede retirarse del horno. Si quiere obtener una cubierta más crujiente, el pan debe cocinarse por más tiempo; también puede colocar un recipiente con agua dentro del horno para generar vapor.

Tenga en cuenta que las masas dulces toman color más rápidamente que las saladas; por lo tanto, deben hornearse siempre a temperatura moderada.

La Empresa en Casa

Panes

Pan rústico

Ideal para acompañar tablas de quesos. Busque ideas de envoltorios que le permitan diferenciarse de la competencia. Ganará clientes.

2 unidades

INGREDIENTES

- 150 g. de levadura fresca
- 1/2 cda. de azúcar
- 1/2 kg. de harina 000
- 750 c.c. de agua
- 25 g. de sal fina

PREPARACIÓN

1. Disponga en un tazón la levadura fresca, el azúcar, 250 g. de harina 000 y 350 c.c. de agua tibia. Mezcle y deje leudar durante media hora.

En otro recipiente realice un hoyo a modo de corona con el resto de la harina 000 mezclada con la sal y vierta en el centro la levadura y el resto del agua. Integre poco a poco todos los elementos hasta formar una masa lisa que no se pegue a las manos. Cubra con un paño limpio y deje leudar a temperatura ambiente hasta que duplique su tamaño. Corte la masa por la mitad.

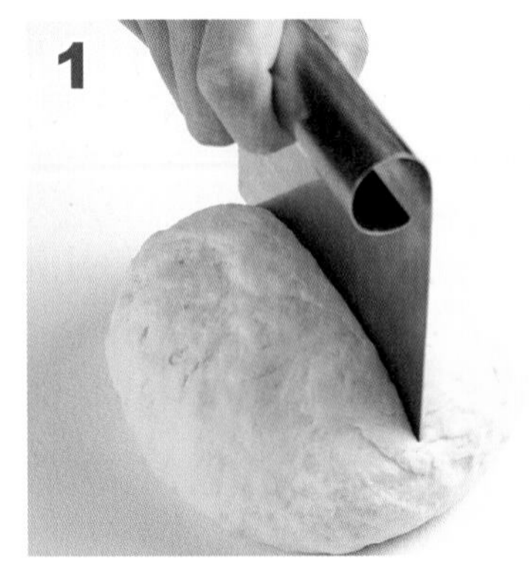

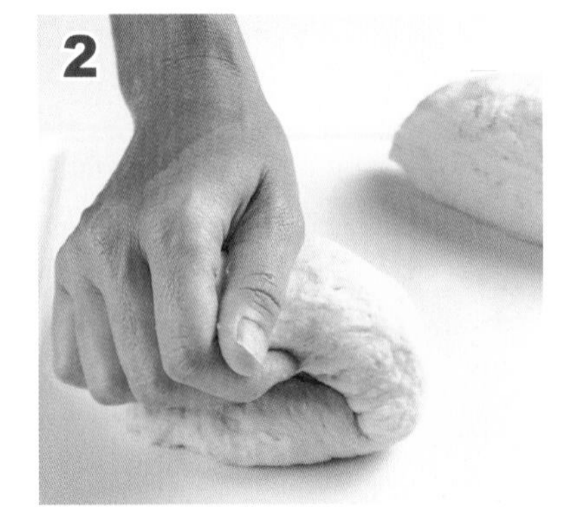

2. Forme dos bolas de pan de igual tamaño, amasando sobre la mesa con movimientos envolventes y hacia dentro del bollo.

3. Acomode para que el cierre de la bola quede hacia abajo.

4. Coloque en una placa untada con mantequilla, cubra con un paño limpio y deje leudar nuevamente hasta que duplique su volumen. Realice un corte en la parte superior, espolvoree con harina y cocine en horno a 180 °C durante 40 minutos aproximadamente.

Pan lácteo

Otra pieza que no puede faltar en su catálogo. Es un pan apropiado para sándwiches y bocaditos; brinde a sus clientes sugerencias y recetas para prepararlos.

2 unidades

INGREDIENTES

- 750 g. de harina 000
- 10 g. de sal
- 50 g. de levadura fresca
- 200 c.c. de leche
- 250 c.c. de agua

Otra opción

Ofrézcalo en una pieza entera o cortado en rebanadas. Si decide cortarlo, colóquelo en un envoltorio.

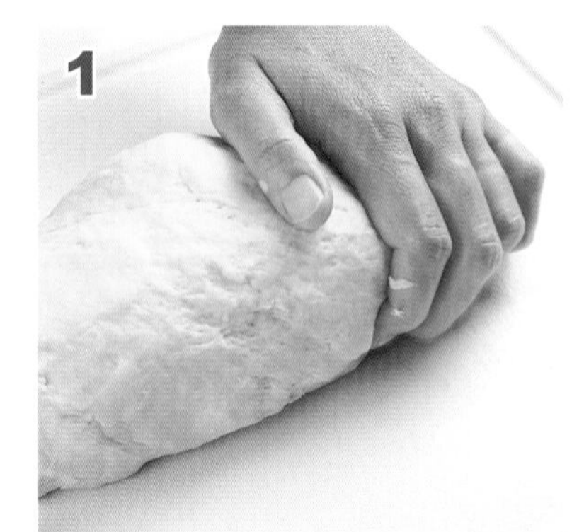

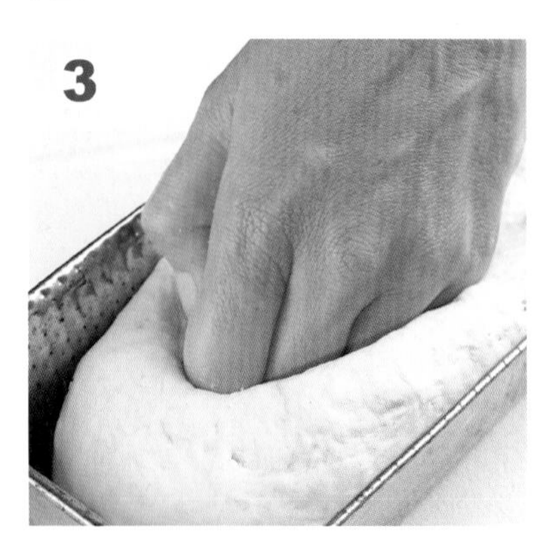

PREPARACIÓN

1. Tamice la harina 000 con la sal. Incorpore la levadura fresca previamente disuelta en la leche y el agua. Amase hasta obtener un bollo de consistencia lisa y tierna. Tape con un paño limpio y deje leudar en un lugar tibio hasta que la masa duplique su volumen. Vuelva a amasar, dando forma alargada, dejando con el cierre del pan hacia abajo.

2. Coloque el bollo dentro de un molde rectangular para dar la forma típica del pan lácteo.

3. Presione la masa con el puño de la mano para que ocupe de forma pareja toda la superficie del molde.

4. Cubra con un paño limpio y deje leudar, a temperatura ambiente, hasta que duplique su volumen. Cocine en horno fuerte durante 50 minutos.

Francés

Un producto básico imprescindible en una panadería. Sus clientes aprovecharán la ocasión para comprarle otras clases de pan. Tiéntelos.

4 unidades

INGREDIENTES

- 750 g. de harina 000
- 5 g. de sal
- 25 g. de levadura fresca
- 300 c.c. de agua

PREPARACIÓN

1. Tamice la harina 000 con la sal y agregue la levadura fresca desmenuzada. Incorpore el agua tibia y amase hasta formar una masa que se despegue del tazón. Vuélquela sobre la mesa apenas enharinada, y continúe hasta que el bollo esté tierno y liso.

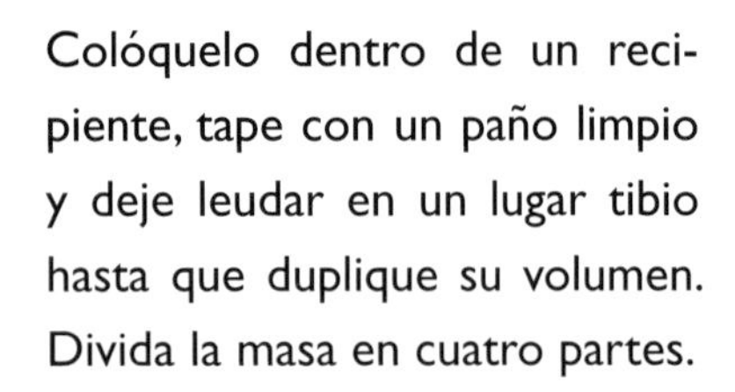

Colóquelo dentro de un recipiente, tape con un paño limpio y deje leudar en un lugar tibio hasta que duplique su volumen. Divida la masa en cuatro partes.

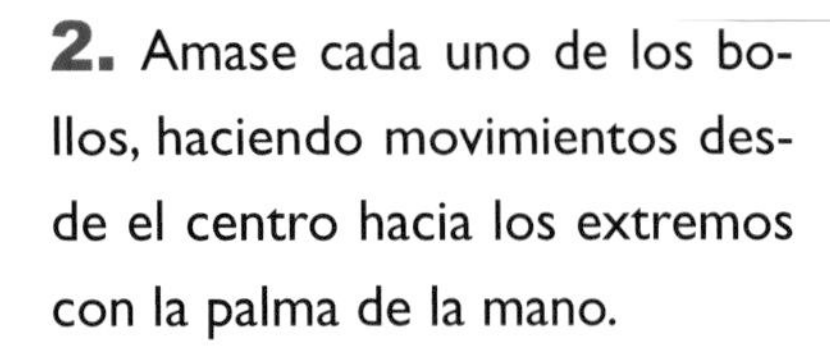

2. Amase cada uno de los bollos, haciendo movimientos desde el centro hacia los extremos con la palma de la mano.

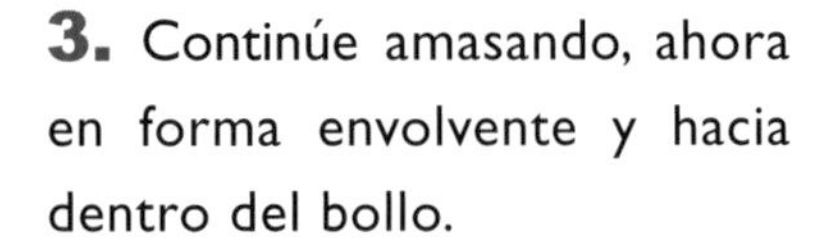

3. Continúe amasando, ahora en forma envolvente y hacia dentro del bollo.

4. Afine la porción de masa en los extremos y coloque el cierre hacia abajo. De esta manera, logrará imprimir la forma típica de pan francés. Coloque los panes sobre una placa para horno y deje leudar nuevamente durante 30 minutos tapados con un paño limpio. Realice varios cortes transversales sobre la superficie de cada pan y cocine en horno fuerte durante 30 minutos.

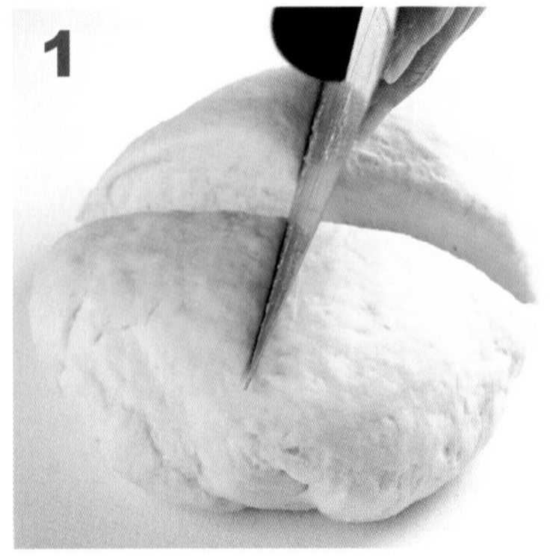

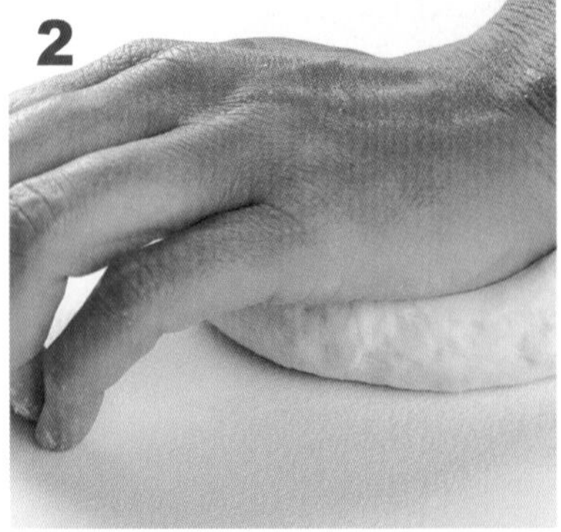

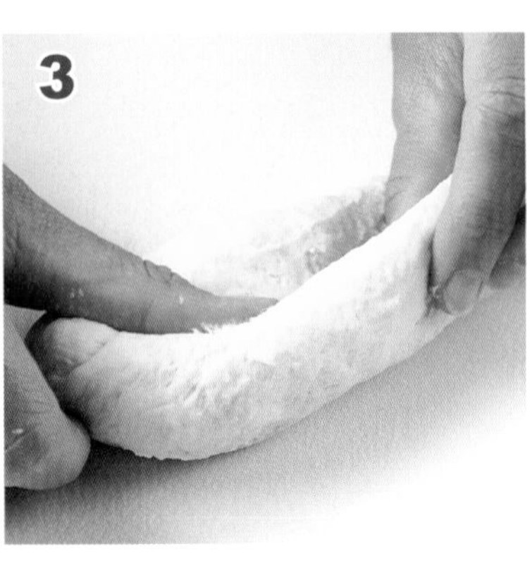

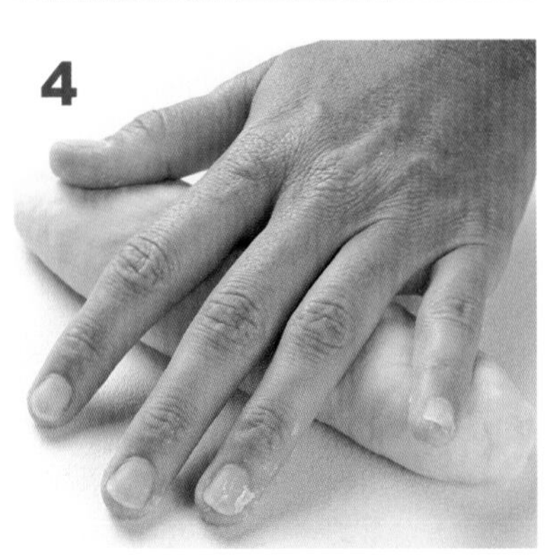

Sin gluten

Entre sus existencias, no puede faltar el pan sin gluten, para quienes padecen celiaquía, un mal cada vez más extendido. Aumentará su clientela.

1 pan grande

INGREDIENTES

- 40 g. de levadura fresca
- 400 c.c. de leche
- 1 cda. de azúcar
- 500 g. de almidón de maíz
- 1 cda. de sal
- 200 g. de harina de maíz
- 50 g. de mantequilla

Secreto útil

Cuando prepare este pan, verifique que no haya restos de harina de trigo en los utensilios ni en la mesa de trabajo.

PREPARACIÓN

1. Disuelva la levadura fresca con un poco de leche tibia e incorpore el azúcar. Deje espumar.

2. Tamice el almidón con la sal y la harina. Agregue la levadura, la mantequilla y el resto de la leche. Mezcle hasta lograr una masa homogénea. Tape con un paño y deje reposar en un lugar tibio, hasta que duplique el volumen.

3. Vierta en un molde rectangular y deje leudar 30 minutos.

4. Cocine en horno fuerte durante 40 minutos.

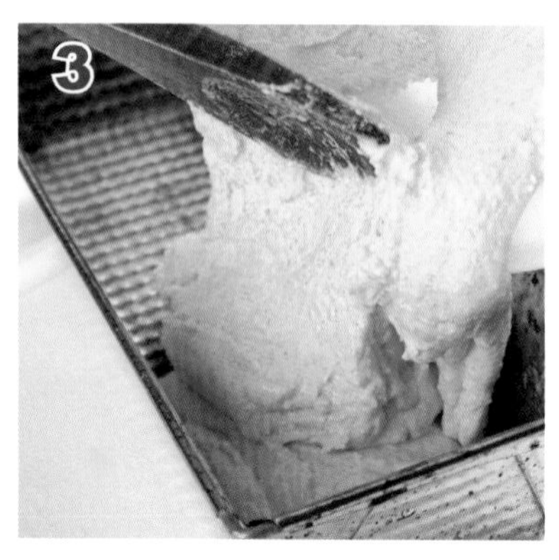

De maíz

Un comodín que admite formas diversas. Prepárelo en moldes rectangulares, redondos o en placas bajas. Logrará variedad en la presentación.

I pan

INGREDIENTES

- 200 g. de harina de maíz
- 300 g. de harina 000
- I cdita. de sal
- 25 g. de levadura fresca
- I cda. de azúcar
- I huevo
- 50 g. de mantequilla
- 150 c.c. de agua
- 150 c.c. de leche
- Azúcar para espolvorear

Como alternativa sana y sabrosa, ofrezca este pan para desayunos y meriendas,

PREPARACIÓN

1. En un recipiente, tamice la harina de maíz y la harina 000 con la sal. Haga un hoyo en el centro, a modo de corona, y agregue la levadura fresca con el azúcar.

2. Incorpore el huevo, la mantequilla, el agua y la leche.

3. Comience a trabajar la preparación con una cuchara de madera; luego, continúe con las manos. Debe lograr una masa lisa y que se despegue del tazón.

4. Lleve a la mesa de trabajo y continúe amasando. Deje leudar en un recipiente tapado con un paño limpio y en un lugar tibio, hasta que duplique su volumen. Desgasifique, dé forma de pan y colóquelo en una placa para horno. Deje leudar nuevamente y realice pequeños cortes transversales en la parte superior. Cocine en horno fuerte durante 40 minutos. Espolvoree con azúcar.

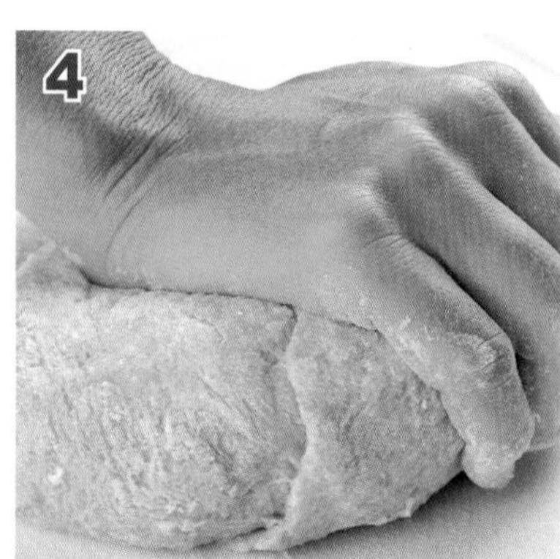

Pan árabe o pita

Anímese a ofrecer este pan en confiterías, restaurantes y servicios de catering. De esta manera, logrará vender una buena cantidad a un mismo cliente.

30 unidades

INGREDIENTES

- 25 g. de levadura fresca
- 250 c.c. de agua
- 1 cda. de azúcar
- 500 g. de harina 000
- 1 cda. de sal
- 1 cda. de aceite de maíz

Venda más

Acompañe estos panes con información y algunas recetas para preparar sándwiches originales.

PREPARACIÓN

1. En un recipiente, mezcle la levadura fresca con el agua y el azúcar. Deje espumar y reserve. En otro recipiente, coloque la harina 000 y la sal y vierta el aceite de maíz en el centro; por último, agregue la levadura y mezcle. Amase hasta lograr un bollo liso y homogéneo. Tape con un paño limpio, coloque en un lugar tibio y deje leudar 30 minutos. Luego, desgasifique y separe en 30 porciones.

2. Extienda la masa en forma redonda hasta lograr un espesor de 1,5 cm en cada porción.

3. Ubique en una placa para horno, dejando un espacio de 5 cm entre cada pan. Deje leudar durante 15 minutos.

4. Espolvoree con harina y cocine en horno caliente durante 15 minutos. Retire y cubra con un lienzo hasta que se enfríen.

De avena

La avena es un energizante natural. Este pan es especial para el desayuno y la merienda de los niños. Piense en ellos a la hora de elegir el envoltorio.

1 pan grande

INGREDIENTES

- 30 g. de levadura fresca
- 3 cdas. de azúcar
- 750 g. de harina 000
- 250 g. de avena en hojuelas
- 20 g. de sal
- 1 huevo
- 40 g. de mantequilla
- 1 cda. de extracto de malta
- 500 c.c. de agua
- Hojuelas de avena

PREPARACIÓN

1. En un tazón, mezcle la levadura fresca con 1 cucharada de azúcar, un poco de agua tibia y dos cucharadas de harina 000. Deje espumar y reserve. En otro recipiente, mezcle la harina 000, la avena y la sal. Realice un hoyo en el centro, a modo de corona, e incorpore el huevo, la mantequilla, el extracto de malta y la preparación de levadura.

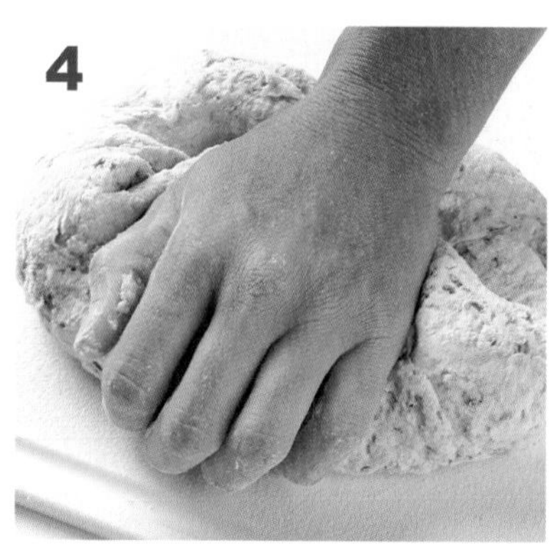

2. Con ayuda de una cuchara de madera, mezcle bien todos los ingredientes.

3. Agregue lentamente el agua a temperatura ambiente para hidratar la preparación.

4. Amase durante 10 minutos. Tape con un paño limpio y deje leudar en un lugar tibio hasta que duplique su volumen. Desgasifique, amasando suavemente; luego coloque en un molde de budín. Deje leudar nuevamente hasta que duplique su volumen. Espolvoree con avena y cocine en horno moderado 1 hora.

Integral de sésamo

Las semillas de sésamo aportan gran contenido de calcio al organismo. Ofrezca este pan a sus clientas y dé a conocer los beneficios de consumirlo.

1 pan grande

INGREDIENTES

- 1 kg. de harina integral
- 25 g. de sal
- 50 g. de levadura fresca
- 600 c.c. de agua
- 2 cdas. de aceite de oliva
- 1 clara de huevo
- Semillas de sésamo

Venda más

Trate de conseguir semillas de sésamo integral. Además de brindar más contenido de fibra a los panes, realzará su presentación.

PREPARACIÓN

1. Tamice la harina integral con la sal. Realice un hoyo, a modo de corona, y agregue en el centro la levadura fresca desmenuzada y un chorro de agua tibia. Mezcle y deje que espume.

2. Agregue el aceite de oliva. Trabaje con las manos, incorporando el agua restante, hasta lograr una masa lisa y tierna. Tape con un paño limpio y deje leudar en un lugar tibio hasta que duplique su volumen. Desgasifique, amasando suavemente. Forme un bollo, ubíquelo sobre una placa para horno y deje leudar hasta que duplique su volumen.

3. Pincele la superficie del pan con la clara de huevo.

4. Espolvoree el pan con semillas de sésamo en forma abundante. Lleve a horno mediano durante 1 hora.

Tortas de maíz

Deben consumirse recién hechas, ya que cambian su textura con el correr de los días. Pida a sus clientes que las encarguen con anticipación.

10 unidades

INGREDIENTES

- 150 g. de harina 000
- 100 g. de harina de maíz
- 1 cdita. de levadura en polvo
- 30 c.c. de leche
- 2 cdas. de aceite de oliva
- 2 cdas. de miel
- 1 huevo
- 1 cda. de jugo de limón

Tenga en cuenta que las tortas que se consumen en el momento son blandas, Al día siguiente se vuelven crocantes.

PREPARACIÓN

1. Mezcle en un tazón los ingredientes secos: la harina 000, la harina de maíz y la levadura en polvo.

2. Mezcle en otro tazón los ingredientes húmedos: la leche, el aceite de oliva, la miel, el huevo y el jugo del limón.

3. Integre ambas preparaciones vertiendo la parte húmeda sobre la seca. Trabaje con ayuda de una cuchara de madera hasta obtener una pasta de consistencia fluida.

4. Coloque la mezcla en un molde previamente aceitado tipo sartén (que pueda ser llevado al horno), y cocine en horno moderado aproximadamente unos 20 minutos.
Deje enfriar sobre una rejilla. Para una mejor conservación, mantenga las tortas en un recipiente hermético.

Brioche

Un clásico de la panadería francesa que se impone en todas las latitudes. Ofrézcalo para desayunos empresariales. Sus clientes reincidirán.

15 unidades

INGREDIENTES

- 500 g. de harina 000
- 1 cda. de sal
- 50 g. de azúcar
- 30 g. de levadura fresca
- 50 c.c. de leche
- 5 huevos
- 300 g. de mantequilla
- 1 huevo para pincelar

PREPARACIÓN

1. Mezcle la harina 000, la sal y el azúcar en un tazón. Disuelva la levadura fresca con la leche en otro recipiente y reserve. Realice un hoyo en el centro de la mezcla anterior y coloque de a uno 3 huevos y la levadura disuelta.

2. Trabaje la preparación con el gancho de la batidora. Poco a poco, agregue dos huevos más hasta lograr una masa homogénea. Añada la mantequilla a punto pomada y siga amasando hasta que la preparación se despegue completamente del tazón.

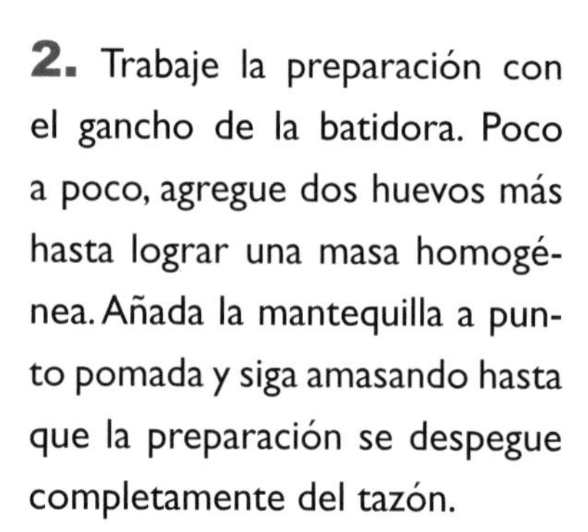

3. Coloque la masa en otro recipiente. Tape con un paño limpio y deje leudar a temperatura ambiente hasta que duplique su volumen.

4. Desgasifique, presionando ligeramente con las manos. Cubra con película plástica y lleve al refrigerador por 8 horas. Separe en 15 bollos y trabaje con las manos dando forma circular. Déjelos leudar, tapados con un paño limpio y a temperatura ambiente, hasta que dupliquen su volumen. Pincele con huevo batido y cocine en horno moderado durante 30 minutos.

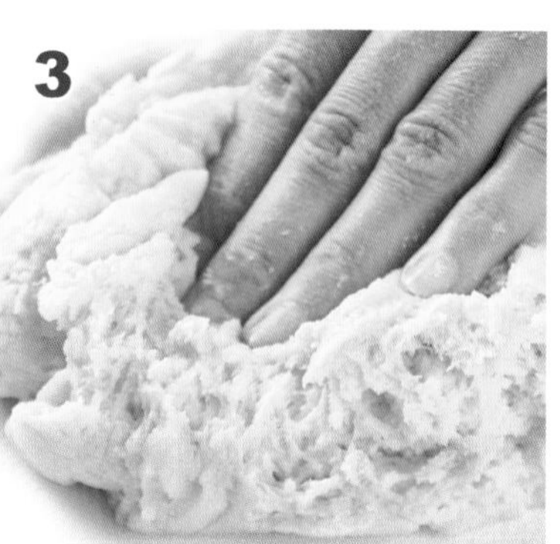

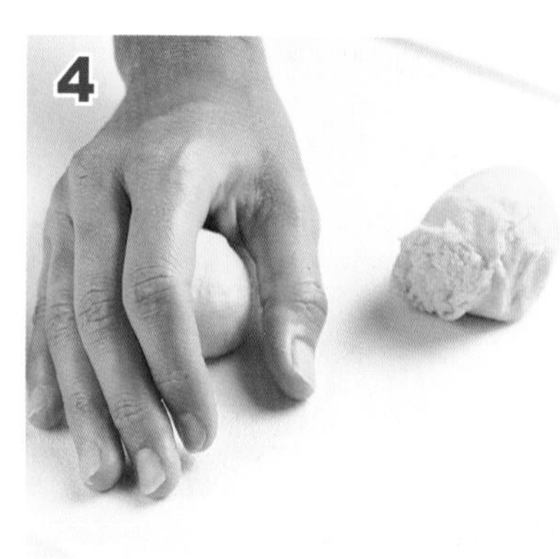

Panes Saborizados

De ajo y albahaca

Una propuesta especial para eventos. Prepare un catálogo con diferentes muestras y salga a ofrecerlos a empresas de catering.

24 unidades

INGREDIENTES

- 500 g. de harina 000
- 5 g. de sal
- 25 g. de levadura fresca
- 250 c.c. de leche
- 20 hojas de albahaca
- 1 diente de ajo
- 2 huevos
- 50 g. de mantequilla

PREPARACIÓN

1. Tamice la harina 000 con la sal. Realice en el centro de la mezcla un hoyo, a modo de corona y agregue la levadura fresca desmenuzada y la mitad de la leche. Mezcle bien y deje que espume la masa a temperatura ambiente.

2. Pique finamente la albahaca y el ajo con un cuchillo filoso.

3. Agregue a la masa el resto de la leche, un huevo, la mantequilla y la mezcla de ajo y albahaca.

4. Amase hasta obtener un bollo liso y que no se pegue a las manos. Tape con un paño limpio y deje leudar 40 minutos en un lugar tibio. Desgasifique, amasando suavemente y forme panes de 50 g cada uno. Colóquelos en una placa aceitada. Deje leudar hasta que dupliquen su tamaño, pincele con huevo y cocine en horno fuerte 30 minutos.

De cebolla y amapola

Los panes saborizados resultan deliciosos para servirlos en las reuniones de cumpleaños. Incluya en los paquetes recetas de sándwiches y venderá más.

24 unidades

INGREDIENTES

- 2 cebollas
- 1 cda. de aceite
- 500 g. de harina 000
- 5 g. de sal
- 25 g. de levadura fresca
- 250 c.c. de leche
- 1 huevo
- 50 g. de mantequilla
- Semillas de amapola
- Leche para pincelar

PREPARACIÓN

1. Pique las cebollas y saltee en el aceite a fuego lento hasta que estén transparentes.

2. Tamice la harina con la sal. Disponga a modo de corona y agregue en el centro la levadura fresca desmenuzada y la leche; mezcle y deje que espume. Incorpore el huevo y la mantequilla. Una todos los ingredientes. Continúe amasando hasta obtener una masa lisa. Deje leudar durante 40 minutos. Desgasifique y forme panes de aproximadamente 40 g.

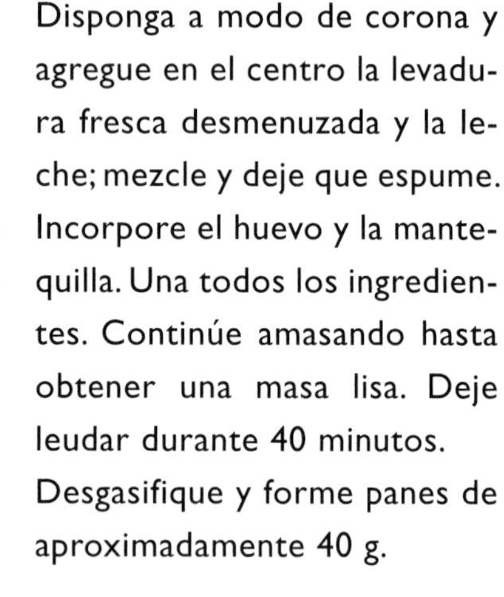

3. Ubique en una placa para horno aceitada, dejando un espacio de 3 cm. y presione con la yema de los dedos en el centro.

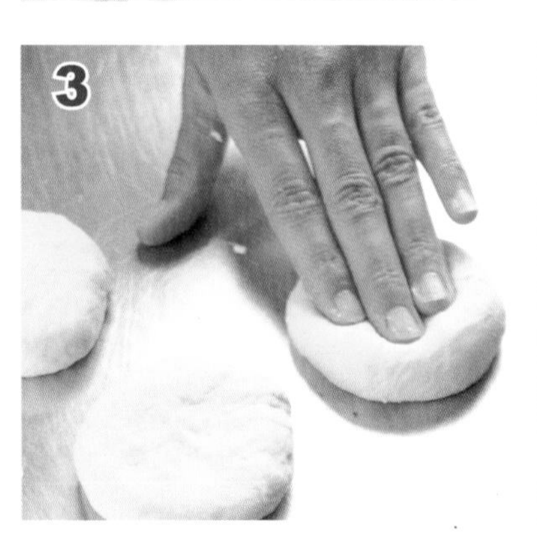

4. Con ayuda de una cuchara, coloque una porción de cebolla en cada pan y espolvoree con semillas de amapola. Deje leudar durante 15 minutos, tapado con un paño limpio y en un lugar tibio. Pincele los panes con leche y cocine en horno fuerte durante 30 minutos.

De queso y cebollín

Si la convocaron para un evento o servicio de catering, no deje de incluir estos panes saborizados en las paneras. Mézclelos con otros de verdura, tocino y tomillo.

24 unidades

INGREDIENTES

- 500 g. de harina 000
- 5 g. de sal
- 25 g. de levadura fresca
- 250 c.c. de leche
- 2 cdas. de cebollín
- 1 taza de queso rallado
- 2 huevos
- 50 g. de mantequilla

PREPARACIÓN

1. En un tazón, coloque la harina y la sal. En otro, mezcle la levadura fresca con la mitad de la leche tibia y 2 cucharadas de harina; deje que espume. Realice un hoyo a modo de corona en la mezcla de harina, incorpore la levadura espumada en el centro.

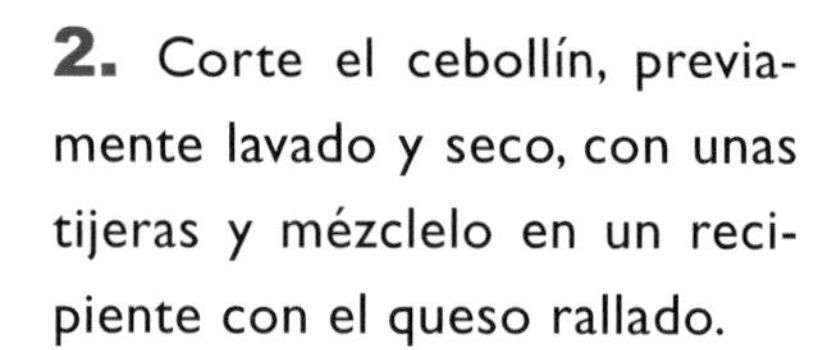

2. Corte el cebollín, previamente lavado y seco, con unas tijeras y mézclelo en un recipiente con el queso rallado.

3. Agregue el resto de la leche, uno de los huevos, la mantequilla y la mezcla de queso y cebollín. Integre bien todos los ingredientes.

4. Amase hasta obtener un bollo liso y que no se pegue a las manos. Tape con un paño limpio y deje leudar por 40 minutos. Desgasifique, realizando movimientos suaves y separe en porciones de 50 g. Forme los panes y colóquelos en una placa para horno levemente engrasada. Tápelos con un paño limpio y déjelos leudar hasta que dupliquen su volumen. Pincele con el huevo restante y cocine en horno fuerte durante 30 minutos, hasta que estén bien dorados.

Panes de mantequilla

Son una compañía especialmente indicada para dips de diferentes sabores. Ofrézcalos recién horneados y con un envoltorio atractivo.

24 unidades

INGREDIENTES

- 500 g. de harina 000
- 5 g. de sal
- 25 g. de levadura fresca
- 250 c.c. de leche
- 1 huevo
- 150 g. de mantequilla

Secreto útil

Si quiere tener reservas, amase los panes y llévelos al refrigerador hasta el momento de hornearlos.

PREPARACIÓN

1. Tamice la harina 000 con la sal. Agregue la levadura fresca y la mantequilla. Trabaje hasta obtener una masa lisa y que no se pegue a las manos. Extienda sobre la mesada con ayuda de un palo de amasar para que quede uniforme.

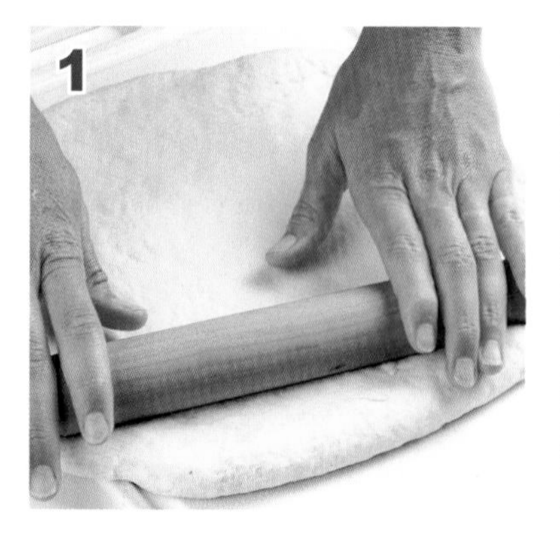

2. Doble la masa en cuatro y deje leudar durante unos 40 minutos, tapada con un paño limpio en un lugar tibio.

3. Vuelva a extender con el palo de amasar hasta que la masa tenga un espesor de 3 cm.

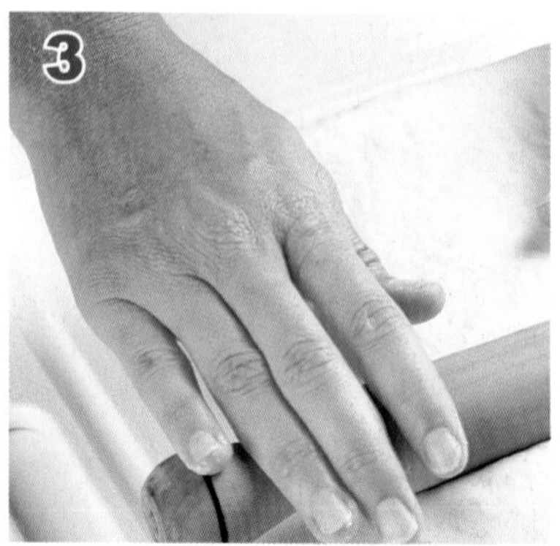

4. Con un cortador para bizcochos o galletas, realice círculos y luego, colóquelos en una placa previamente aceitada.
Tape con un paño limpio y deje leudar en un lugar tibio, hasta que dupliquen su tamaño. Cocine en horno fuerte durante 30 minutos aproximadamente.

Scones de queso

Un producto básico de gran aceptación entre los clientes. Prepárelos con tiempo y resérvelos en el refrigerador. Hornéelos a último momento y se verán recién hechos.

24 unidades

INGREDIENTES

- 200 g. de harina leudante
- 1/2 cdita. de sal
- 100 g. de queso rallado
- 50 g. de mantequilla
- 1 taza de leche
- Mantequilla para pincelar
- Queso extra para espolvorear

PREPARACIÓN

1. Verifique que todos los ingredientes estén fríos. Mezcle la harina, la sal, la mantequilla y el queso rallado hasta lograr una preparación con textura y aspecto de arenado.
A continuación incorpore poco a poco la leche.

2. Extienda la masa con ayuda de un palo de amasar sobre una superficie rígida hasta alcanzar los 2 cm. de grosor.

3. Doble con cuidado la capa de masa por la mitad.

4. Con ayuda de un cortador redondo, realice los scones y colóquelos sobre una placa previamente engrasada. Pincele con mantequilla y espolvoree con queso rallado. Lleve a horno mediano durante 15 minutos aproximadamente. Deje enfriar sobre rejilla de alambre.

Panes de salvado

El salvado tiene propiedades benéficas para la salud. Brinde información nutricional de los productos que ofrece. Les otorgará valor agregado.

30 unidades

INGREDIENTES

- 1 kg. de harina 000
- 25 g. de sal
- 600 c.c. de leche
- 70 g. de levadura fresca
- 100 g. de manteca
- 200 g. de salvado

Estos panes son aconsejados para personas que siguen dietas bajas en calorías.

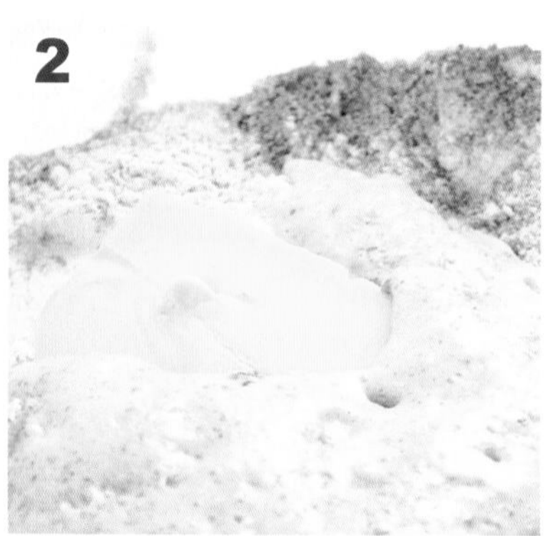

PREPARACIÓN

1. Coloque en un tazón la harina 000 y la sal. Realice en el centro de la mezcla un hoyo a modo de corona y coloque la preparación de la leche y la levadura fresca ya espumada.

2. Agregue la mantequilla a punto pomada (ver Brioche, pág. 140) y el salvado. Amase hasta unir por completo. Haga un bollo, cubra con un paño limpio y deje descansar durante 30 minutos a temperatura ambiente.

3. A continuación arme los bollos de pan del tamaño de la palma de la mano y amáselos.

4. Colóquelos en una placa para horno, tápelos con un paño limpio y déjelos leudar a temperatura ambiente hasta que dupliquen su volumen. Cocine en horno a 180 °C durante 15 minutos. Deje enfriar en una rejilla de alambre.

Bollitos integrales

Los panes integrales aportan más contenido de fibra que los panes blancos. Explíqueles a sus clientes la diferencia entre unos y otros. Lo apreciarán.

1 grande ó 12 medianos

INGREDIENTES

- 300 g. de harina integral
- 1 cdita. de sal
- 3 tazas de salvado
- 25 g. de levadura fresca
- 1 cdita. de azúcar
- 400 c.c. de agua
- 2 cdas. de aceite de oliva
- 20 g. de azúcar morena

Venda más

Día a día el público compra más pan integral al enterarse de los beneficios de la fibra. Una gran oportunidad para su negocio.

PREPARACIÓN

1. Mezcle en un tazón la harina integral, la sal y el salvado. Realice un hoyo y agregue en el centro la levadura fresca desmenuzada, el azúcar y un chorrito de agua tibia. Mezcle y deje que espume.

2. Agregue el aceite de oliva (equivalente a un chorrito generoso). Incorpore el agua restante y el azúcar morena, y amase con las manos hasta lograr una masa tierna y elástica. Tape con un paño limpio y deje leudar en un lugar tibio hasta que duplique su volumen.

3. Desgasifique la masa, amasando con movimientos suaves.

4. Arme panes de 60 g. Colóquelos en una placa y deje leudar hasta que dupliquen su volumen, tapados con un paño limpio y en lugar tibio. Pincele con huevo y cocine en horno moderado por 30 minutos aproximadamente.

De tocino

Ideales para acompañar tablas de quesos. Si quiere tener reservas de este producto, amase con anticipación y guarde en el refrigerador.

20 unidades

INGREDIENTES

- 25 g. de levadura fresca
- 250 c.c. de leche
- 1 cdita. de azúcar y 1 de sal
- 500 g. de harina 000
- 200 g. de tocino
- 1 cda. de tomillo fresco
- 1 huevo
- 50 g. de mantequilla

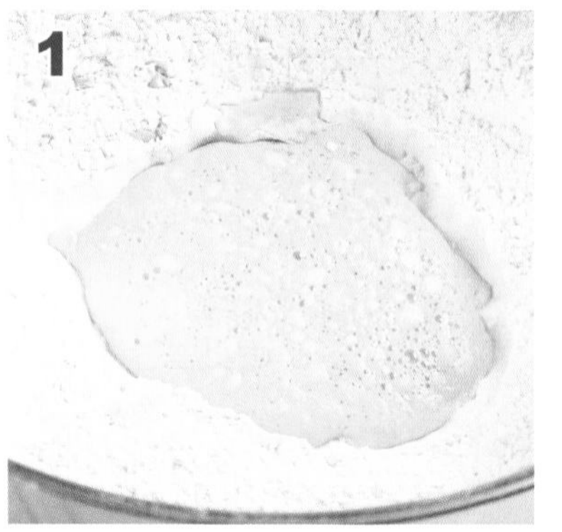

PREPARACIÓN

1. Disuelva la levadura fresca con un chorrito de leche tibia, agregue el azúcar y 4 cucharadas de harina 000. Deje leudar en un sitio tibio hasta que duplique su tamaño inicial. Incorpórela a la harina, previamente tamizada con la sal.

2. Corte el tocino en cubos pequeños y dórelos en una sartén. Deje enfriar y reserve.

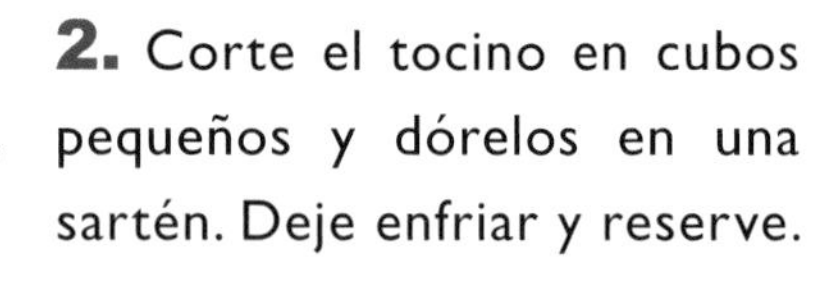

.

3. Incorpore el resto de la leche, el huevo y la mantequilla a la preparación anterior. Agregue el tocino y el tomillo finamente picado. Mezcle todo bien y trabaje con las manos, amasando por aproximadamente 10 minutos.

4. Una vez que logró una masa lisa y tierna, tape con un paño limpio y deje leudar en un lugar tibio hasta que duplique su volumen. Desgasifique amasando y luego forme bollitos. Coloque en una placa para horno untada con mantequilla y deje leudar nuevamente, tapados con un paño limpio, hasta que dupliquen su volumen. Cocine en horno fuerte durante 20 minutos, hasta que estén bien dorados.

Focaccia de aceitunas

Es un clásico de la cocina italiana que cada vez se consume más. Sugiera la forma de servirlo y acompañarlo para que sus clientes lo adopten sin dudar.

I unidad

INGREDIENTES

- 500 g. de harina 000
- 5 g. de sal
- 30 g. de levadura fresca
- I taza de agua
- I/2 taza de aceite de oliva
- Aceitunas
- Tomillo

Antes de llevar la focaccia al horno, espolvoree la superficie con sal entrefina. Logrará una terminación diferente.

1

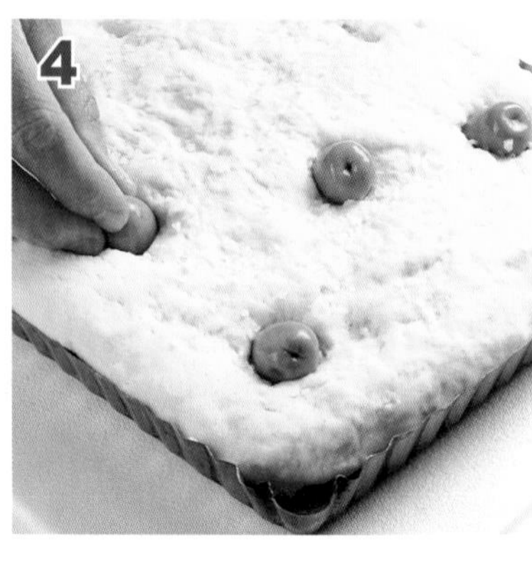

PREPARACIÓN

1. En un recipiente, tamice la harina 000 con la sal y realice un hoyo a modo de corona. Coloque en el centro la levadura fresca, una taza de agua tibia y el aceite de oliva.
Amase hasta lograr un bollo liso. Tape con un paño limpio y deje leudar en un lugar cálido hasta que duplique su volumen.

2. Coloque la masa sobre una placa para horno previamente aceitada. Presione con la yema de los dedos para que ocupe toda la superficie.

3. Tape con un paño limpio y deje leudar 30 minutos en un lugar tibio hasta que la masa duplique su volumen.

4. Coloque las aceitunas, introduciéndolas hasta la mitad de la masa. Espolvoree con el tomillo y cocine en horno fuerte durante 40 minutos.

Bizcochos y Palitos

Biscuits

Un clásico que no puede faltar en su catálogo. Utilice siempre grasa de calidad. Recuerde que a la hora de comprar, conviene optar por las mejores materias primas.

48 unidades

INGREDIENTES

- 25 g. de levadura fresca
- 1 cdita. de azúcar
- 1 taza de leche
- 200 g. de grasa vacuna
- 400 g. de harina 000
- 1 cdita. de sal

PREPARACIÓN

1. Coloque en un tazón la levadura fresca, el azúcar y 1/2 taza de leche tibia. Disuelva, luego tape con un paño limpio y deje espumar.

2. Derrita la grasa en el microondas y deje enfriar un poco.

En un recipiente, coloque la harina 000 y la sal. Incorpore la levadura y la grasa derretida.

3. Agregue el resto de leche y trabaje con cuchara de madera hasta integrar los ingredientes. Amase hasta formar un bollo. Tape con un paño y deje leudar hasta que duplique su volumen.

4. Extienda sobre una superficie enharinada hasta lograr un espesor de 2 cm. Corte círculos de 3 cm de diámetro y colóquelos en una placa. Cocine en horno fuerte unos 25-30 minutos.

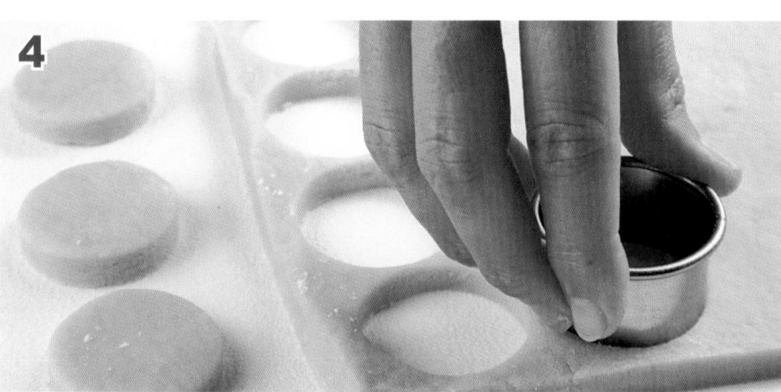

Pretzels

Para cumpleaños, servicios de catering y eventos. Si decide incluirlos en su catálogo, también puede ofrecerlos empacados a modo de bocadillos.

24 unidades

INGREDIENTES

- 500 g. de harina 000
- 1 cdita. de sal
- 25 g. de levadura fresca
- 250 c.c. de leche
- 2 cditas. de azúcar
- 50 g. de mantequilla
- 1 huevo
- Sal gruesa

Otra opción

También puede espolvorear los pretzels con semillas de sésamo o de amapola. Irresistibles.

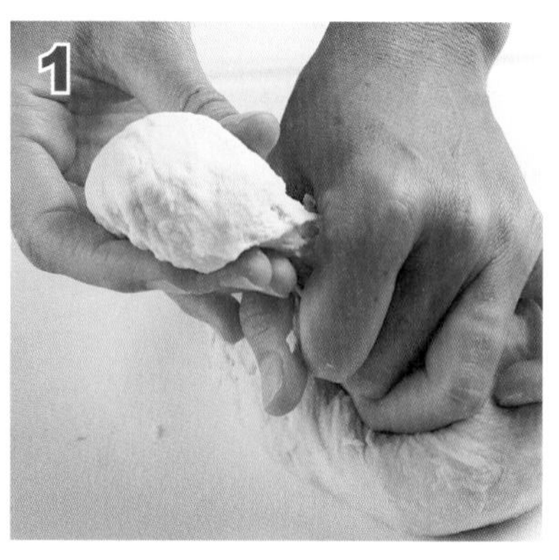

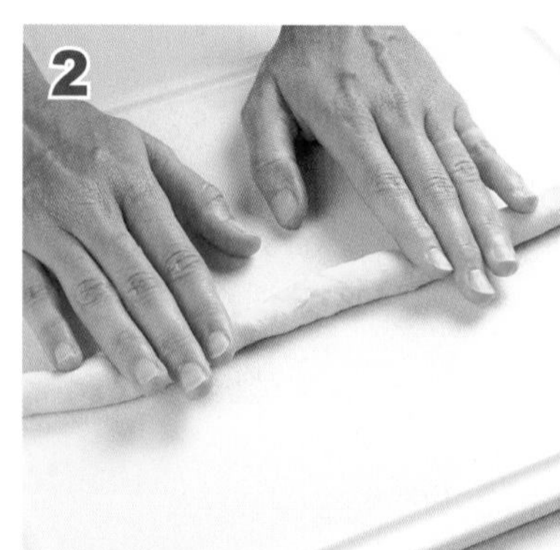

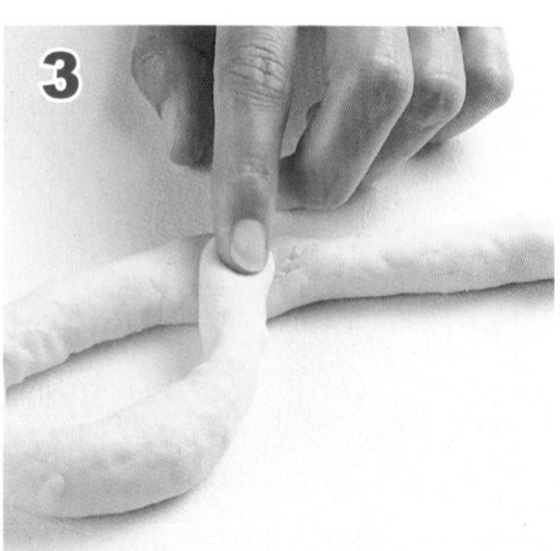

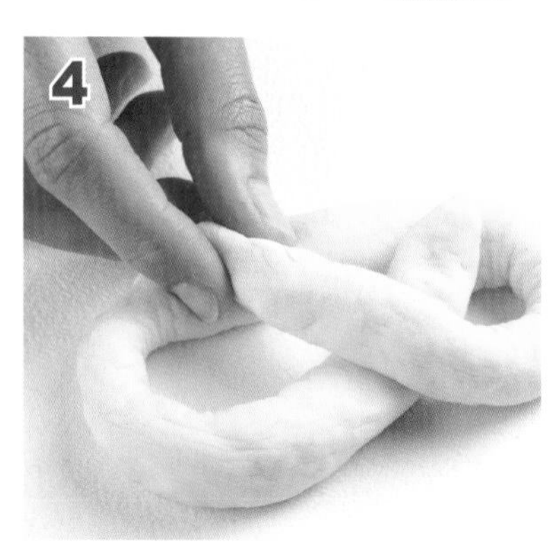

PREPARACIÓN

1. Mezcle la harina con la sal y reserve. En otro recipiente, disuelva la levadura fresca con la leche, el azúcar y 3 cucharadas de harina. Deje leudar; luego incorpore la mezcla de harina y agregue la mantequilla. Trabaje unos 10 minutos hasta obtener una masa lisa y elástica. Deje leudar hasta que duplique su volumen, en un lugar tibio y tapado con un paño limpio. Desgasifique y tome porciones de 50 g.

2. Realice rollos de 50 cm. de largo amasando sobre una superficie enharinada.

3. Cruce un extremo hasta la mitad y presione con un dedo.

4. Cruce el otro extremo por sobre el anterior y presione levemente. Pincele con huevo y espolvoree con sal gruesa. Deje leudar 10 minutos y cocine en horno caliente por 20 minutos.

Galletas marineras

Duran una eternidad y son ideales para un desayuno. Ofrézcalas en bolsas de papel madera con etiquetas sencillas. Los productos nobles van bien con ideas simples.

96 unidades

INGREDIENTES

- 1 kg. de harina 000
- 2 cditas. de sal
- 20 g. de levadura fresca
- 1/4 de taza de leche
- 200 g. de mantequilla
- 20 g. de malta
- 350 c.c. de agua

Consérve las galletas en frascos o latas herméticas para que así se conserven por más tiempo.

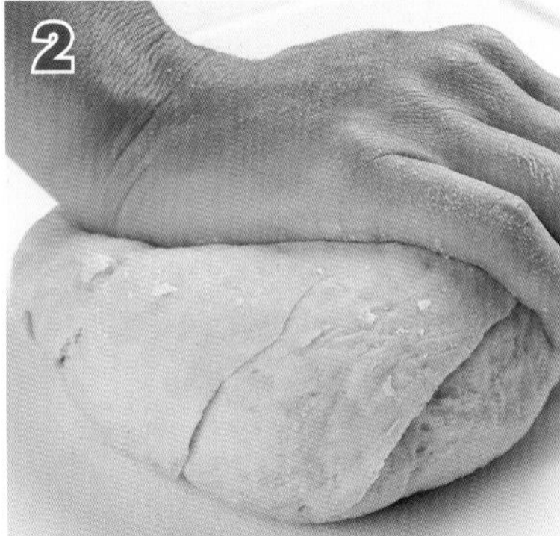

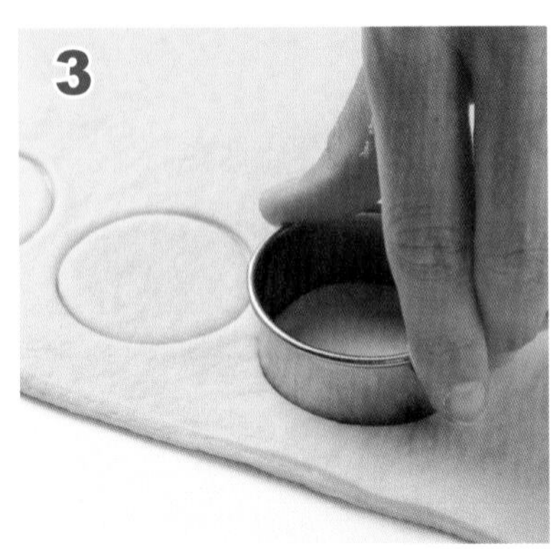

PREPARACIÓN

1. Coloque la harina 000 y la sal en un tazón. Haga un hoyo en el centro, a modo de corona, y agregue la levadura fresca desmenuzada. Incorpore la leche tibia, tape con un paño limpio y deje espumar en un lugar tibio. Agregue la mantequilla derretida, y la malta. Incorpore lentamente el agua y mezcle muy bien.

2. Amase hasta lograr un bollo de consistencia pesada. Tape con un paño limpio y deje leudar hasta que duplique su volumen.

3. Extienda con un palo de amasar hasta lograr una masa de un espesor de 1/2 cm. Corte círculos de unos 5 cm. de diámetro.

4. Coloque los círculos de masa en una placa para horno apenas engrasada. Pinche con un tenedor para que no se inflen. Cocine en horno fuerte durante unos 15 minutos.

Palitos de queso

Son muy requeridos en eventos, servicios de catering o reuniones de cumpleaños. Ofrézcalos a sus clientes con ideas, recetas y consejos para servirlos.

48 unidades

INGREDIENTES

- 500 g. de hojaldre (*)
- 2 tazas de parmesano rallado
- 4 cdas. de semillas de sésamo negro

* Ver la receta de los Roscones rellenos (pág. 185)

Secreto útil

El hojaldre es una masa especial para tener reservas. Prepare los palitos con anticipación y cocínelos a último momento.

PREPARACIÓN

1. Extienda el hojaldre y espolvoree con el queso rallado y las semillas de sésamo. Doble en tres partes iguales.

2. Vuelva a extender con un palo de amasar hasta lograr una capa de 1/2 cm. de espesor.

3. Corte tiras de 2 cm. de ancho con un cuchillo bien afilado.

4. Enrosque las tiras y colóquelas sobre una placa, presionando sobre los extremos para que no pierdan la forma. Cocine en horno fuerte hasta que estén doradas.

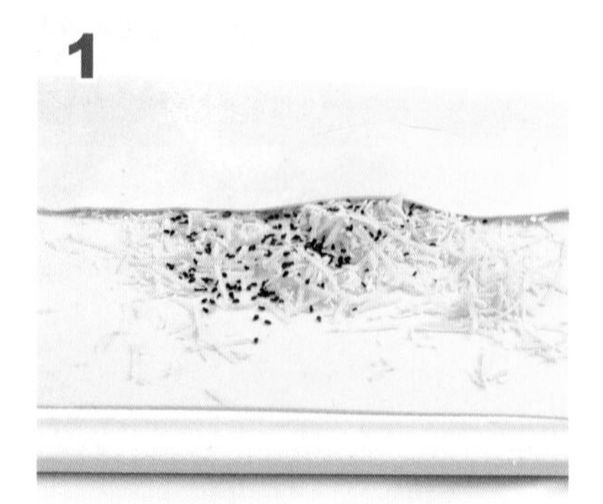

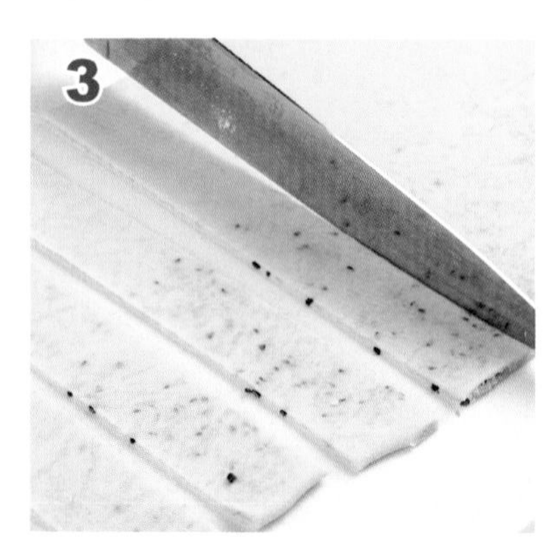

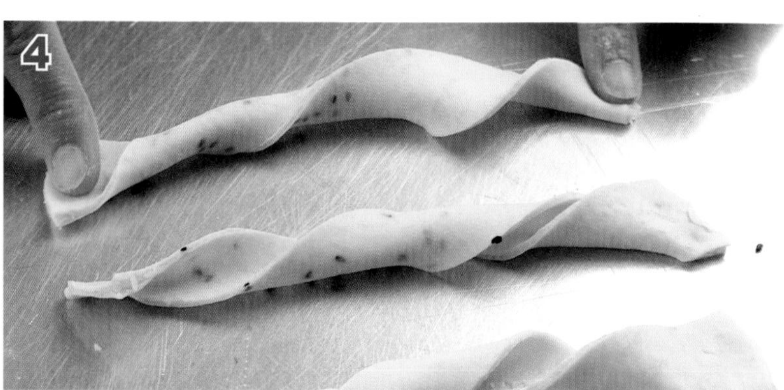

Palitos

Son infaltables. Preséntelos en bolsitas etiquetadas. Para ofrecer distintas variantes, saborícelos con ajo, cebolla o queso y decórelos con diferentes semillas.

48 unidades

INGREDIENTES

- 250 g. de harina 000
- 15 g. de levadura fresca
- 1 cdita. de sal
- 150 g. de sémola
- 150 c.c. de agua
- 25 g. de aceite de oliva
- Sémola extra

PREPARACIÓN

1. Realice una masa mezclando la harina 000 con la levadura fresca, la sal, la sémola, el agua a temperatura ambiente y el aceite de oliva. Tape con un paño limpio y deje reposar durante 20 minutos a temperatura ambiente.

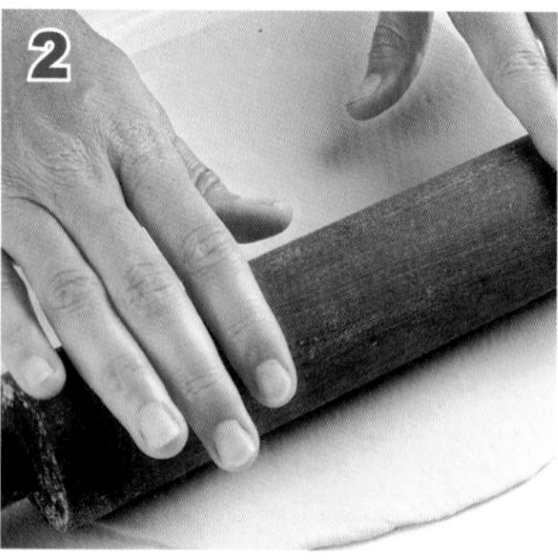

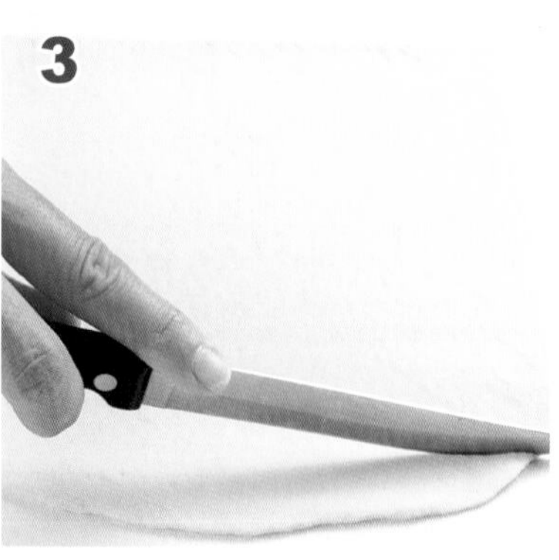

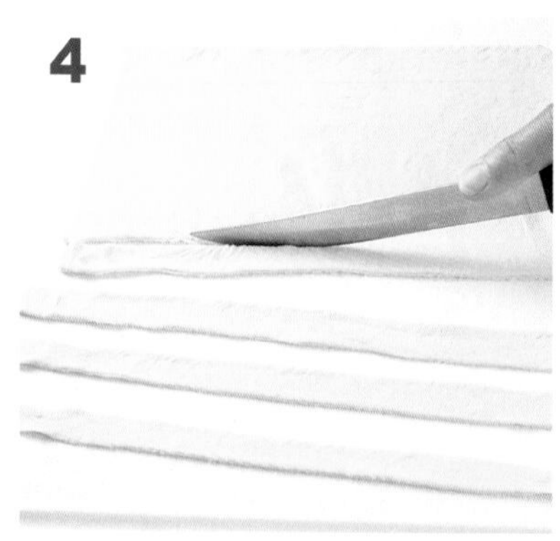

2. Corte la preparación en bollos de tamaño mediano y extiéndalos con el palo de amasar sobre la mesada hasta lograr una capa fina. Espolvoree continuamente sémola sobre la superficie en la que trabaja para evitar que la masa se pegue a la misma.

3. Recorte los bordes de la masa para emparejar y forme un rectángulo bien prolijo. Trabaje siempre con un cuchillo filoso y de hoja lisa.

4. Corte tiras del mismo tamaño y dispóngalas en una placa untada con mantequilla, dejando un espacio de 2 cm. entre cada una para que se cocinen parejo. Deje reposar durante 10 minutos y cocine en horno fuerte por espacio de 15 minutos. Es importante no excederse en el tiempo de cocción para evitar que los grisines se quemen.

La Empresa en Casa

Panes Dulces

Rollos de canela

Una excelente manera de dar a conocer los productos es acompañarlos de etiquetas explicativas. También, puede brindar información nutricional.

12 unidades

INGREDIENTES

Masa:

- 300 g. de harina 000
- 10 g. de levadura en polvo
- 100 g. de azúcar
- 1 cdita. de sal
- 1 taza de leche
- Huevo para pincelar

Relleno:

- 100 g. de mantequilla
- 100 g. de azúcar morena
- 1 cda. de canela en polvo

PREPARACIÓN

Masa

1. Coloque en un tazón la harina 000, la levadura en polvo, el azúcar y la sal. Agregue la leche y mezcle hasta formar una masa homogénea. Deje reposar, tapado con un paño limpio y a temperatura ambiente, hasta que duplique su volumen.

Relleno

2. Con ayuda de una cuchara, integre la mantequilla con el azúcar rubio y la canela en polvo.

3. Extienda la masa formando un cuadrado y distribuya el relleno en forma pareja, sin llegar a los bordes. Enrolle con cuidado de que no se salga el mismo.

4. Con un cuchillo de hoja lisa, corte rodajas de 2 cm. Colóquelas en una placa para horno. Pincele con huevo y cocine en horno moderado durante 40 minutos.

Croissants

Son imprescindibles en un buen desayuno. Ofrézcalos solos o rellenos con jamón y queso. Busque un envoltorio que le permita realzar el producto.

24 unidades

INGREDIENTES

- 500 g. de harina 000
- 5 g. de sal
- 10 g. de levadura en polvo
- 250 c.c. de leche
- 50 g. de azúcar
- 1 huevo
- 300 g. de mantequilla
- Huevo para pincelar

PREPARACIÓN

1. Tamice la harina 000 con la sal, realice un hoyo en el centro y coloque la levadura con la mitad de la leche y el azúcar. Incorpore un par de puñados de la harina que se encuentra alrededor y deje leudar 15 minutos. Agregue el resto de la harina y de la leche, un huevo y 50 g. de mantequilla.Amase hasta lograr un bollo liso y deje leudar hasta que duplique su volumen.

2. Extienda la masa y forme un rectángulo. Coloque encima el resto de la mantequilla cortada en láminas sin llegar a los bordes.

3. Doble la preparación por la mitad y lleve al refrigerador por 30 minutos. Luego, extienda con un rodillo y pliegue en tres partes. Repita esta operación dos veces más, dejando descansar la masa en el refrigerador entre pliegue y pliegue.

4. Extienda la masa y corte triángulos de 20 x 10 cm. Enrolle desde la parte más gruesa a la más fina. Ubique en una placa y deje leudar hasta que dupliquen su volumen. Pincele con el huevo restante y cocine en horno fuerte por 30 minutos.

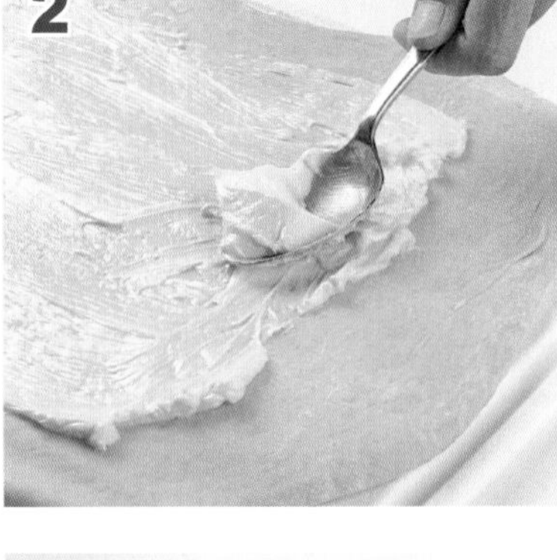

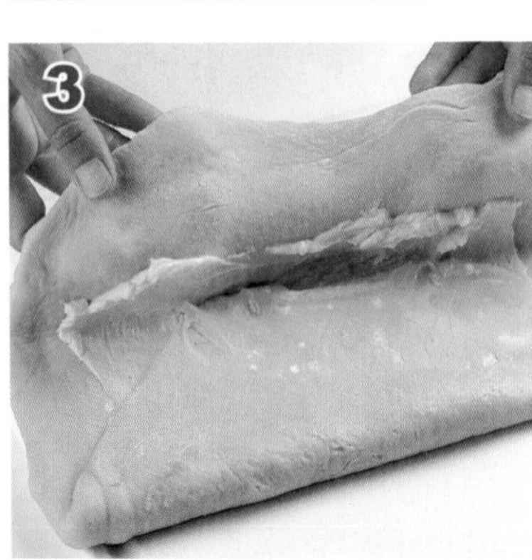

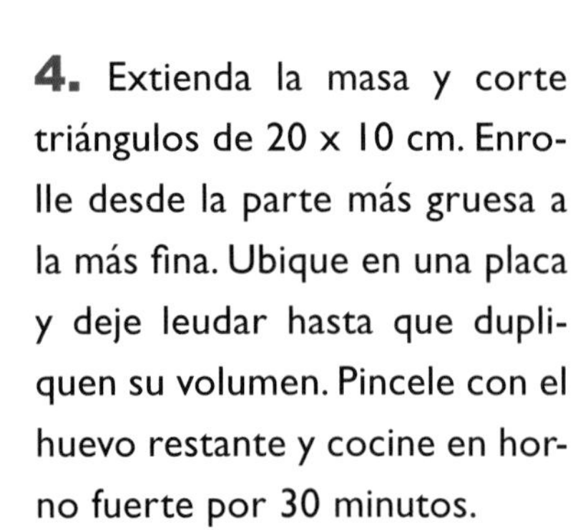

Donas

Una tentación para grandes y niños. Para diferenciarse de la competencia, ofrézcalas en conos de papel manteca, espolvoreadas con coco rallado. Irresistibles.

12 unidades

INGREDIENTES

- 20 g. de levadura fresca
- 125 c.c. de leche
- 250 g. de harina 000
- 1 cdita. de sal
- 2 cdas. de azúcar
- 1 huevo
- 40 g. de mantequilla
- Aceite para freír

Deben estar siempre recién hechas, son una delicia. Con el correr de las horas cambian la textura.

PREPARACIÓN

1. Disuelva la levadura en la leche y mezcle junto con la harina 000, la sal, el azúcar y el huevo. Amase y por último incorpore la mantequilla. Continúe amasando hasta lograr un bollo liso y elástico. Para evitar que se pegue la masa, trabaje con ayuda de un cornet.

2. Envuelva la masa en película plástica y deje descansar en el refrigerador durante 1 hora como mínimo.

3. Corte la masa en pequeñas porciones con el cornet, o con un cuchillo de hoja lisa. Arme bollos de unos 30 g.

4. Haga un hueco en el centro de cada bollo y abra la masa para agrandarlo. Fría en abundante aceite caliente hasta que queden doradas. Escúrralas sobre papel absorbente y espolvoree con azúcar o coco rallado.

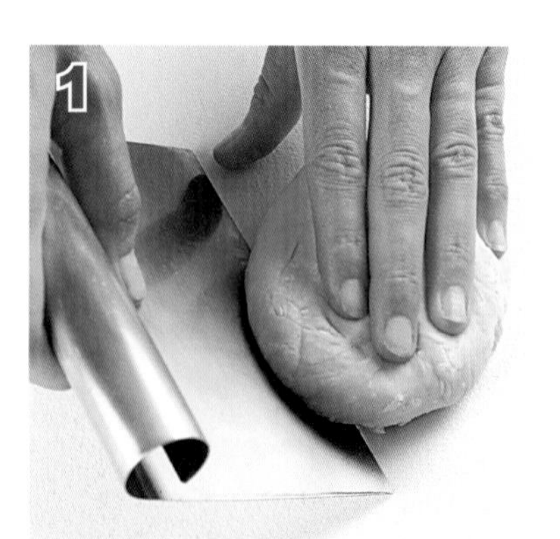

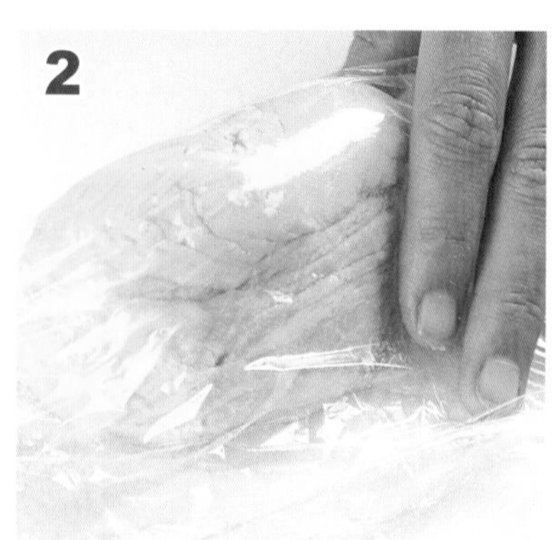

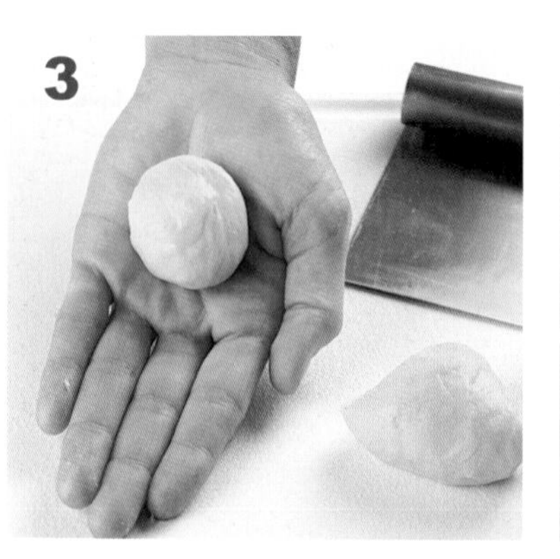

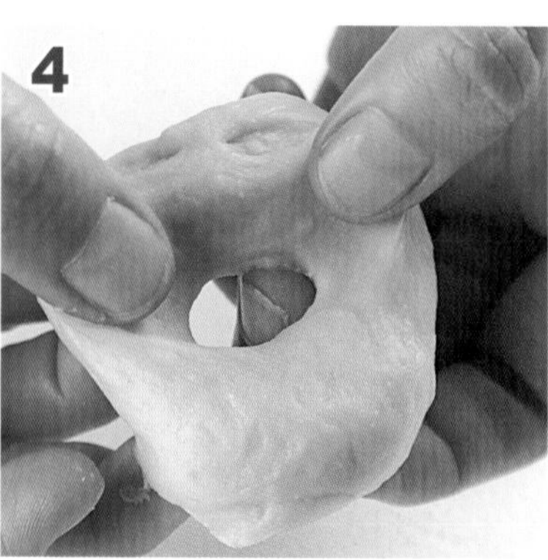

Pan dulce

La presentación del pan dulce es tan importante como el producto. Utilice cintas y adornos navideños. Cambie el motivo todos los años.

2 unidades

INGREDIENTES

Masa:

- 50 g. de levadura fresca
- 1/2 taza de leche tibia
- 1 kg. de harina 000
- 2 cditas. de sal
- 100 g. de mantequilla
- 250 g. de azúcar
- 5 huevos
- 1 cdita. de agua de azahar
- Ralladura de 1 limón
- 1 cda. de extracto de malta
- 500 g. de nueces y almendras

Glaseado:

- 300 g. de azúcar pulverizada
- Jugo de limón, unas gotas

PREPARACIÓN

Masa

1. En un recipiente, disuelva la levadura con la leche y una cucharada de azúcar. Deje espumar y reserve. En otro, coloque la harina y la sal. Agregue la preparación de la levadura.

2. Bata la mantequilla con el azúcar hasta obtener una preparación cremosa.

3. Incorpore a esta preparación cuatro huevos, el extracto de malta, el agua de azahar y la ralladura de limón. Integre bien.

4. Agregue esta crema de huevos a la mezcla de harina y levadura. Una bien todos los ingredientes con ayuda de una cuchara de madera.

5. Amase bien hasta formar un bollo liso. Tape con un paño limpio y deje leudar hasta que duplique su volumen en un lugar tibio.

Otra opción

Si desea innovar, agregue a la masa pequeños trozos de chocolate semiamargo. Quedará deliciosa.

6. Desgasifique amasando y aplane la masa generando espacio para colocar las frutas secas.

7. Enrolle con cuidado evitando que las frutas se escapen de la masa. Vuelva a amasar hasta lograr que las frutas secas queden perfectamente integradas dentro del bollo.

8. Divida la masa en dos partes iguales. Colóquelas en moldes de papel de 1/2 kg. cada uno. Deje leudar hasta que dupliquen su volumen. Pincele con huevo y cocine en horno moderado durante 1 hora.

Para glasear, mezcle el azúcar pulverizada con algunas gotas de limón y bata hasta lograr una mezcla lisa, brillante y fluida. Glasee los panes cuando aún estén tibios.

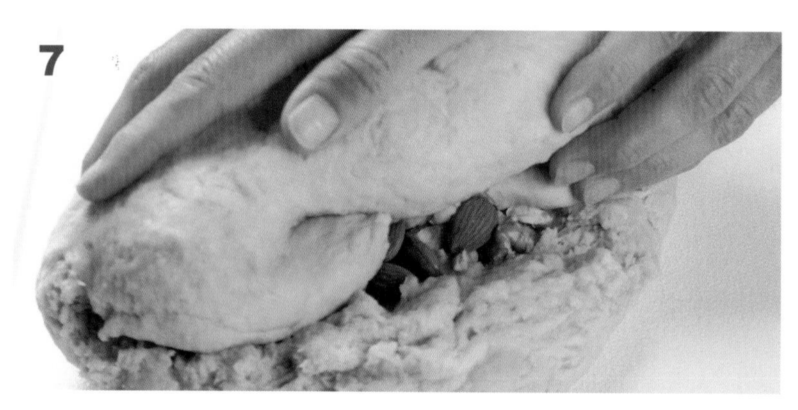

Roscones rellenos

Exquisitos para la merienda o el té. Si no consigue melocotones, puede utilizar otra fruta de estación.

15 unidades

INGREDIENTES

Para el hojaldre:

- 200 c.c. de agua
- 2 cditas. de sal
- 500 g. de harina 000
- 500 g. de mantequilla

Para decorar:

- 2 melocotones frescos
- 200 g. de crema batida

Secreto útil

La calidad de la mantequilla es fundamental. Es uno de los secretos para lograr una excelente masa hojaldrada.

PREPARACIÓN

Relleno

1. Mezcle el agua, la sal y 400 g. de harina 000 hasta formar un bollo liso. Deje descansar.

2. Una la mantequilla con el resto de la harina 000. Trabaje con ayuda de un cornet.

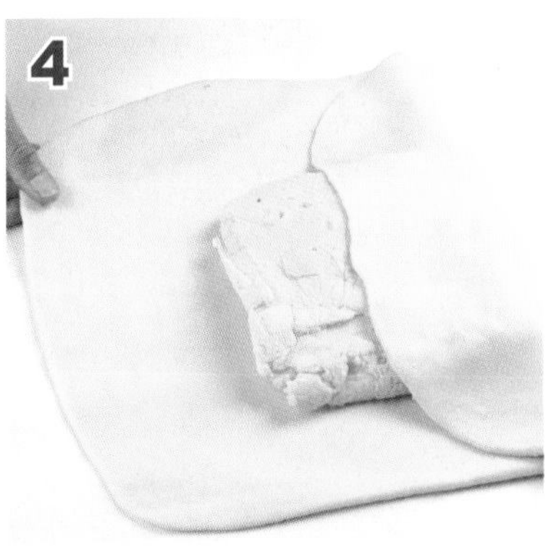

3. Extienda y envuelva con un película plástica. Deje descansar en la nevera durante 1 hora

.

4. Extienda la masa y coloque en el centro de la misma el pan de mantequilla que formó con la harina, sin llegar a los extremos.

5. Cierre la masa, llevando los laterales hacia el centro.

6. Vuelva a cerrar, esta vez con el extremo inferior.

7. Proceda del mismo modo con el otro extremo para que la mantequilla quede perfectamente contenida. Envuelva y lleve al refrigerador por 30 minutos.

8. Extienda la masa y dóblela en tres partes y llévela al refrigerador. Repita este proceso 3 veces más. Recuerde llevar al refrigerador entre cada doblez. Corte círculos de 6 cm de diámetro y pinche el centro de cada uno con un tenedor. Cocine los discos en horno fuerte hasta que estén dorados. Pincele con el almíbar. Cuando estén fríos, cubra el centro con la crema batida con azúcar y decore con los gajos de melocotón fresco.

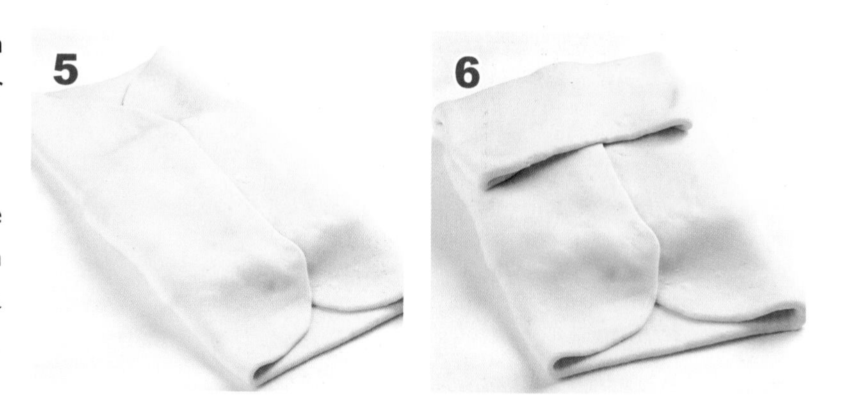

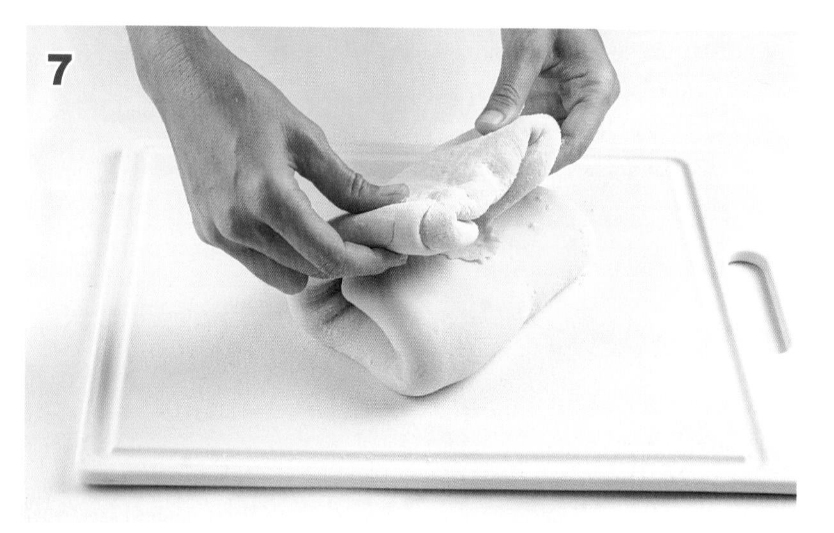

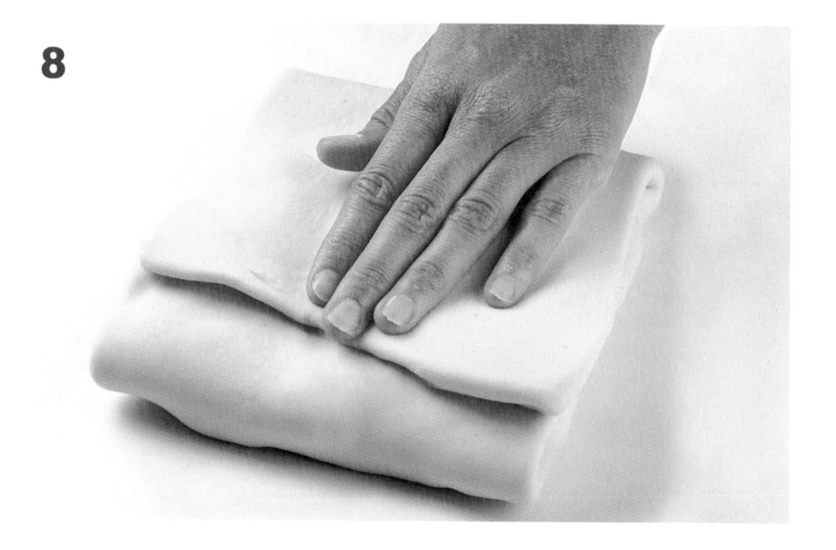

Pan danés

Recuerde que al costo de cada pieza de pan usted debe agregarle un porcentaje que le permitirá recuperar los costos fijos. Incluya materias primas y costos variables.

12 unidades

INGREDIENTES

- 20 g. de levadura en polvo
- 1/4 de taza de agua
- 3/4 de taza de leche
- 1 cda. de azúcar
- 2 cditas. de sal
- 1 cdita. de extracto de almendras
- 50 g. de mantequilla
- 3 huevos
- 450 g. de harina 000
- 1 taza de mantequilla
- Dulce de frutas
- Almíbar para pincelar

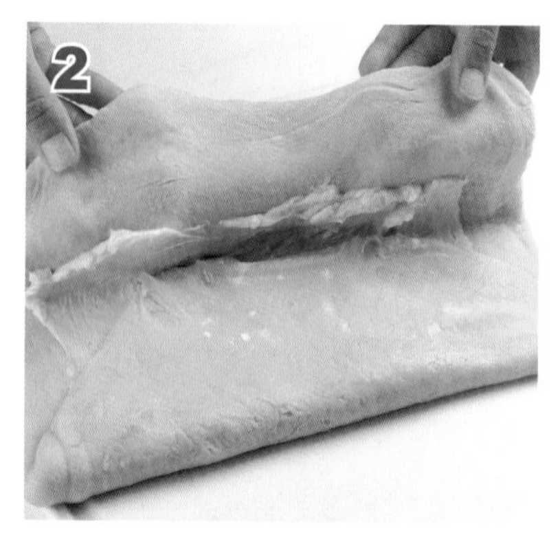

PREPARACIÓN

1. Disuelva la levadura con agua tibia y reserve. En otro tazón, mezcle la leche, el azúcar, la sal y mantequilla. Agregue el extracto de almendras y los huevos batidos. Incorpore la mezcla de levadura y añada la harina 000. Amase hasta lograr una masa tierna. Lleve a la nevera durante 2 horas.

2. Extienda y unte con mantequilla. Doble en tres partes, envuelva en película plástica y refrigere 1 hora. Repita esta operación dos veces más. Deje reposar toda la noche en el refrigerador envuelta en película plástica.

3. Extienda y corte en rectángulos de 10 cm x 5 cm.

4. Doble los rectángulos en forma de "V" y ubique el dulce de frutas en el centro. Deje leudar a temperatura ambiente y cocine en horno fuerte durante 40 minutos. Pincele con almíbar.

El negocio de
hacer y vender
productos de
Panadería

Primera Parte
Cómo producir panes para vender

Antes de comenzar la producción de panes en serie, es imprescindible organizar el espacio en el que se va a trabajar y asegurarse de contar con todos los elementos necesarios. A continuación, hallará detalles que le resultarán de utilidad en esta etapa.

La elaboración artesanal de pan ofrece ciertas ventajas. Puede comenzar en su propia cocina, y aprovechar las herramientas y máquinas que ya posee. Además, los panes se hacen rápido.
Si se organiza, cada día podrá obtener una gran cantidad de unidades. A la vez, esto le permitirá pensar en un volumen de venta cada vez más elevado, ya que estará en condiciones de comprometerse y aceptar pedidos grandes con poco tiempo de anticipación.

Qué infraestructura se necesita

No hace falta una gran estructura para empezar. Si seguimos el proceso de producción en todos sus pasos, podremos observar cuáles son los elementos fundamentales:

• **Cocina.** Para iniciar el nuevo negocio, puede hacerlo en la cocina de su casa. Tenga en cuenta que para elaborar panes la temperatura ambiente es esencial: el sector donde va a trabajar debe estar protegido de las fluctuaciones térmicas. Lo ideal es contar con un acondicionador de aire para mantener constante la temperatura en 25 °C.
Ubique la mesa de trabajo lejos del horno, y no utilice ventiladores, porque mientras la masa leuda, no debe recibir corrientes de aire. Si utiliza el horno familiar, verifique que no tenga pérdidas de calor, para optimizar sus consumos. En caso de necesitar uno nuevo, recuerde que su costo no será inferior a USD$ 300. Ubique sus utensilios en estanterías o alacenas a la vista y al alcance de la mano, para disponer de ellos sin pérdida de tiempo.

La mesa para amasar debe medir 1 m. x 0,80 cm. como mínimo, y lo ideal es que sea de madera, ya que transmitirá a la masa una temperatura templada (a la inversa de las mesas de mármol, que transmiten frío y son usadas en la realización de masas hojaldradas). Trate de elegir una de madera dura, que no desprenda astillas. Si es nueva, deberá "curarla", pincelándola con una mano de aceite neutro.
Luego de 24 horas, estará lista. Según el modelo, su costo aproximado es de USD$ 100.

• **Lugar para el enfriado.** Organice un rincón apartado, una repisa o una mesa donde dejar reposar los panes ya horneados, mientras se enfrían a temperatura ambiente.

Si su idea es empezar a producir en grandes cantidades, le convendrá contar con un garaje o cuarto vacío en el que podrá ordenar mejor sus productos y trabajar con más comodidad.

- **Nevera.** Imprescindible para guardar la levadura, la mantequilla y todos los ingredientes que necesitan frío. Ubíquela lejos del calor del horno, para que su motor no deba realizar esfuerzos innecesarios (y no aumente su consumo de energía eléctrica).

- **Depósito.** Necesitará disponer de un aparador o un cuarto separado para almacenar los ingredientes que deben permanecer frescos, secos y a oscuras.

- **Empaque y administración.** Tenga presente que el envoltorio no es sólo decorativo; su principal función es proteger los productos; por lo tanto, deberá estar siempre provista de película plástica, papel celofán y/o aluminio, bolsas de polietileno, así como de bandejas de papel, cartón o plástico.

Guarde estos materiales de forma que se mantengan ordenados y no se manchen, y ubique convenientemente una mesa para realizar las tareas de empaque.

En este mismo espacio también puede llevar a cabo la parte administrativa de su negocio (compra de insumos y herramientas, comercialización, pagos, etc.).

Para empezar será suficiente con una mesa, un par de sillas y un teléfono. Con el tiempo, le resultará útil contar con una computadora.

Cómo elegir las herramientas y las materias primas

El mercado actualmente ofrece una gran cantidad de marcas y modelos de máquinas para hacer pan. Si al comienzo no puede acceder a las especializadas, podrá manejarse con las más sencillas y hogareñas, y continuar con algunas tareas en forma manual; por ejemplo, la fermentación o el moldeado y el corte.

De todos modos, es conveniente que se trace un proyecto final; tenga en cuenta que la maquinaria de tipo profesional le permitirá encarar trabajos más complejos y de mayor envergadura. Si no puede adquirirla nueva, muchos fabricantes tienen a la venta equipos usados en buenas condiciones y con garantía; asimismo, consulte si puede adquirirlas en cuotas o por leasing (un sistema de alquiler con la opción de comprar).

- **Hornos convectores.** Pueden ser eléctricos y/o a gas; funcionan sobre la base de un sistema de circulación forzada de aire caliente, que ayuda a distribuir la temperatura en forma pareja. Al principio, le alcanzará uno con capacidad para cuatro o cinco latas (ver más adelante). Según el modelo y la calidad, su costo oscila entre los USD$ 800 y USD$ 1.000.

- **Hornos rotativos.** Funcionan en forma eléctrica y/o a gas, y el calor se distribuye a través de un ventilador interno. Los panes son cocinados sobre bandejas que giran durante la cocción, por lo tanto, reciben calor en forma pareja. Además, estos hornos poseen un dispositivo que inyecta el vapor necesario para mantener el grado de humedad más conveniente según el tipo pan. Su precio es mucho mayor que el de los hornos convectores, en algunos casos casi el doble.

- **Hornos convencionales.** El horno familiar, presente en cualquier casa, cocina perfectamente cualquier tipo de masa. Para lograr el vapor, coloque en su interior un recipiente con agua caliente cuando lo enciende y al introducir las piezas. Si debe comprar una cocina nueva, tenga en cuenta que su costo no será inferior a USD$ 300.

- **Hornos de mampostería.** Se les conoce también como hornos de barro o leña. Están hechos con material refractario y se calientan a través de un quemador a gas o a leña.
Los entendidos opinan que el sabor y apariencia del pan cocido en ellos es diferente, y que resulta más crujiente y sabroso.
El único inconveniente es que demanda de precalentamiento. Pueden adquirirse ya fabricados, o contratar a un experto para su construcción; su costo, por ende, es variable.

Otras herramientas

- **Refrigerador.** Puede comenzar con un refrigerador hogareño. Tenga en cuenta que los panes que tienen mayor cantidad de miga, tamaño y/o grasa se mantienen frescos por más tiempo; en cambio, los panes integrales o el pan francés son más sensibles al calor. El costo es muy variable; en el caso de uno familiar, ronda los USD$ 300; el de tipo industrial, se consigue desde USD$ 600.

> Cuando adquiera maquinaria nueva, tenga en cuenta que podrá necesitar corriente eléctrica común o corriente trifásica. Asesórese primero con los fabricantes o en los comercios especializados.

- **Amasadora o batidora.** La amasadora le permitirá amasar grandes cantidades de ingredientes en poco tiempo. Puede comenzar con una de 20 a 30 kg. de capacidad y batea redonda. Una alternativa más económica es la batidora, que se usa para batir, mezclar y que sirve también para amasar.

Al principio, le bastará con una de 15 o 20 litros de capacidad, y 3 anchos diferentes. Su costo, según el modelo y la calidad, oscila entre los USD$ 800 y USD$ 1.000.

La inversión mínima para empezar

Si no quiere utilizar las herramientas familiares y desea comenzar su negocio desde cero, piense en una inversión inicial aproximada de USD$ 4.000. Con esto bastará para montar la infraestructura más económica para sus primeros trabajos.

- **Sobadora.** Es una máquina industrial que posee dos rodillos, entre los que pasan grandes porciones de masa con el fin de ser estirada y refinada. Se utiliza especialmente en pastelería (para masas hojaldradas y galletas), pero también para hacer pizzas precocidas.

Puede comenzar con un modelo "de mesa" (se apoya sobre la mesa de trabajo), de 10 cm. de diámetro por 40 cm. de ancho, provista de rodillos de 25 cm. de ancho.

Su costo, dependiendo del modelo y los materiales, es de unos USD$ 1.000.

Utensilios

Para simplificar su tarea, deberá contar con algunas herramientas fundamentales. Los utensilios que le recomendamos a continuación son básicos y se consiguen en las casas del rubro. El precio es muy variable, según la calidad, pero en general su costo no es mayor a los USD$ 10, salvo en el caso de las latas negras, las placas y los moldes. No se apresure a comprar: hay algunos que necesitará para comenzar, pero otros podrá ir adquiriéndolos paulatinamente. Algunos de ellos son:

- **Balanza.** Para medir y pesar los ingredientes secos. Hay de diferentes tipos, entre ellos las electrónicas (digitales) que resultan muy precisas, pero son poco durables y más costosas.

- **Vaso medidor.** Se utiliza sólo para medir líquidos. Aunque algunos también tienen graduación para sólidos, para éstos se aconseja usar la balanza.

- **Placas.** Las más convenientes son las de bordes bajos. Las hay de diferentes medidas. Elíjalas de acuerdo con las dimensiones de su horno.

- **Batidores.** Puede utilizar los tradicionales de alambre; hay de varios tamaños.

- **Cornet.** Una espátula metálica o plástica sin mango. Viene en varios tamaños y se utiliza para unir los ingredientes o raspar la mesa cuando la masa se "pegotea".

• **Tablas.** Se utilizan para picar los ingredientes. Trate de tener varias y utilizarlas por separado para salados y dulces, para no contaminar los productos con diferentes sabores y olores. Las de material plástico como la melamina no absorben olores.

• **Rodillos.** Aunque los más adecuados para la panificación son los de madera, los hay también de materiales como mármol o acero, que suelen utilizarse para trabajar masas hojaldradas.

• **Cuchillas.** Lo ideal es tener dos o más, de diferentes tamaños. Deben mantenerse siempre libres de óxido y con buen filo.

• **Cortadores.** Se utilizan los redondos y lisos, en varios tamaños, que van desde el 4 al 12. Deben ser firmes y de buen filo para no deformar las piezas. Ahorrar a la hora de comprarlos puede ser un mal negocio a largo plazo.

• **Moldes de papel.** Se utilizan para pan dulce, budines, muffins y bizcochuelos. Vienen en diferentes diámetros, altos y en varios tipos de papel.

• **Latas negras.** Son placas grandes y rectangulares, ideales para cocinar pequeñas galletas. Hay de varios tipos, aunque son preferibles las enlozadas. En caso de adquirirlas sin enlozar, úntelas con grasa o aceite y llévelas al horno hasta que la grasa se queme y forme una película; de esta manera, el metal no se oxidará con el uso. Generalmente, no se suelen lavar, sino que se limpian con un paño seco. Su costo aproximado es de USD$ 20.

• **Rejilla de alambre.** Se trata de una plancha o base de alambre, donde se apoyan los panes al sacarlos del horno para que no retengan humedad. Para hacer pan francés, la rejilla resulta fundamental, porque permite que la corteza se mantenga crujiente.

• **Hojilla de afeitar.** Resulta práctica para realizar cortes en los panes. Debe estar siempre limpia y sin óxidos.

• **Pinceles.** Se utilizan para pintar la superficie de los panes y darles así un aspecto mucho más apetitoso.

• **Moldes para pudín inglés.** Se consiguen en diferentes materiales, chapa, enlozados y con materiales antiadherentes, a un costo muy variable. Tienen forma rectangular y llevan una tapa para que la parte superior del pan mantenga la forma recta. Los de chapa deben "curarse" con el mismo método que el sugerido para las latas negras.

• **Placa baguetera.** Es una placa con canales y perforaciones, que se emplea para hornear los panes y ayuda a que conserven su forma. Las hay en diversos materiales, como aluminio, o con un revestimiento antiadherente, por lo que su costo es variable.

• **Cepillo.** Se utiliza para limpiar la harina depositada en las máquinas (también se adquiere en los comercios del ramo).

Los ingredientes

En el mercado encontrará muchas marcas y variedades de harinas, leudantes y otros ingredientes para hacer pan. El requisito básico es que la materia prima sea de primera calidad, pues usted está fabricando un alimento. Tenga en cuenta que, si quiere vender a gran escala, sus panes tendrán que ser aprobados por organismos de alimentación (asesórese en las dependencias oficiales de su país para evitar inconvenientes, ya que no vale la pena correr riesgos).

Antes de organizar y emprender su reserva de ingredientes, le conviene analizar algunos aspectos. Haga siempre una prueba de los productos con los que va a trabajar para ver cómo es cada uno, y con cuál se maneja mejor. Muchas veces notará que, aunque aplique la misma formula para un determinado pan, el resultado tiene variaciones en calidad o sabor. Por eso debe analizar los distintos tipos de harinas y sus efectos en los diferentes amasados, y elegir aquellos materiales con los que se sienta más a gusto.

Aunque más adelante le resulte conveniente adquirir grandes cantidades de harina o grasa a los mayoristas o distribuidores del ramo (por ejemplo, las bolsas de 50 kg.), para comenzar bastará con las bolsas pequeñas de los supermercados. Cuando su negocio crezca, podrá dirigirse a los canales comerciales para fabricantes (mayoristas, distribuidores). Mientras tanto, busque la mejor relación "calidad-precio" y aproveche las ofertas.

• **Harinas**

La harina de trigo se obtiene de la molienda de ese grano, libre de sus envolturas celulósicas. Se clasifica comercialmente de acuerdo con su calidad: cero (0), dos ceros (00), tres ceros (000) y cuatro ceros (0000). Los dos primeros tipos no son frecuentemente utilizados para producir panes artesanales.

La harina 000. Se utiliza siempre en la elaboración de panes, porque tiene un alto contenido de proteínas que hace posible la formación de gluten. De esta manera se consigue un buen leudado sin que las piezas pierdan su forma.

La harina 0000. Es más refinada y blanca, pero al tener escasa formación de gluten no es un buen contenedor de gas, por lo

que los panes pierden forma. Por ese motivo, se usa sólo en panes de molde y en pastelería.
El precio promedio de la harina de trigo es de USD$ 0,40 el kg.

Harina de trigo integral. Es una harina oscura que se obtiene de la molienda del grano de trigo con sus envolturas celulósicas. Su costo por kilogramo es de USD$ 1 aproximadamente.

Harina de Graham. Es una harina integral que tiene un porcentaje más alto de salvado (debe su nombre a Sylvester Graham, un nutricionista que propuso incluir salvado en el pan para lograr una alimentación más natural). No es necesario agregarle harina de trigo. Su costo por kilogramo es de unos USD$ 0,80.

Harina de gluten. Se extrae industrialmente del grano de trigo. Está compuesta por gluten seco y se emplea como mejorador para enriquecer harinas pobres en ese elemento. Es un poco más costosa que las anteriores, aproximadamente USD$ 1,20 por kilogramo.

Harina de maíz. Se obtiene de la molienda de los granos de ese cereal, el más rico en almidón. Si se utiliza sola, la masa no se aglutina, por eso se recomienda agregarle un porcentaje de harina de trigo. Su costo por kilogramo es de alrededor de los USD$ 0,60.

Harina de centeno. Después de la de trigo, es la harina más utilizada. Es muy pobre en gluten, y por eso se le agrega un 50 % de harina de trigo. Como contiene hidratos de carbono, le da un sabor dulzón al pan. Su costo por kilo es de alrededor de USD$ 0,80.

El gluten es el producto del amasado del trigo; se forma al mezclar y amasar la harina de trigo con agua; tiene la capacidad de dar cuerpo y elasticidad a los amasados.

Las harinas de soja, arroz, avena, mijo, trigo duro o candeal y cebada, así como la de centeno, deben mezclarse con un porcentaje de harina de trigo para poder amasarlas y conseguir la formación de gluten. A veces, se utilizan para espolvorear algunos panes. Su costo promedio es de USD$ 1 por kilogramo.

- **Azúcares**

La más utilizada en panadería es la sacarosa (conocida vulgarmente como azúcar, extraída de la caña de azúcar o de la remolacha azucarera). En general, se emplea para la ela-

boración de masas dulces. De acuerdo con su refinamiento existen varios tipos de azúcar:

Granulada o molida. Es usada en pastelería.

Morena. Sirve para elaborar panes integrales (la melaza realza el color y ayuda a la fermentación). En algunas recetas, se reemplaza el azúcar por miel de abejas o de maíz, en forma líquida.

- **Materias grasas**

En panadería se utilizan ingredientes como aceites, mantequilla, margarinas o grasas.

Aceites vegetales o animales. Algunos se emplean para elaborar margarinas.

Mantequilla. Se obtiene batiendo la crema de leche. Puede agregarle especias para saborizarla. El precio promedio por kilogramo es de aproximadamente USD$ 1,50.

Margarina. Es más económica que la mantequilla y se obtiene a partir de una mezcla de grasas o aceites con leche y aditivos. Dentro de las margarinas, hay blandas y duras. Las primeras se asemejan a la mantequilla y se emplean del mismo modo. En cambio, las duras resultan especiales para realizar hojaldres. Su precio promedio por kilogramo es de USD$ 0,80. A nivel industrial, viene en bolsas de 20 kg., pero para comenzar puede adquirirla en los supermercados.

Grasas animales. Son un producto más refinado que la margarina. Según su origen, hay grasas vacunas o porcinas. Se emplean solamente en algunos productos panificados. El precio promedio de grasa por kilogramo es de USD$ 0,70.

- **Otros ingredientes**

Agua. Se utiliza para que fermente la masa y se acondicione el gluten. Hidrata los almidones y los hace digestivos, disuelve los ingredientes secos y la levadura fresca, ayuda al crecimiento final en el horno y hace posible la correcta conservación del pan. Pero hay que tener cuidado, si se agrega en exceso, la masa no se cocina bien, porque la miga resulta húmeda y la corteza se ablanda.

Levaduras. Transforman la harina, y le otorgan volumen, textura, esponjosidad y sabor al pan. En el mercado encontrará levaduras frescas y secas. La fresca es de color amarillento, húmeda, maleable y de olor agradable. Hay que conservarla en el refrigerador, ya que se deteriora a temperaturas mayores a 40 °C. Su precio promedio, en paquetes de 500 g, es de USD$ 0,80. La levadura seca se adquiere en sobres, y tiene un uso más hogareño.

El pan elaborado sin levadura se llama "ácimo" y forma parte de la cocina tradicional judía, elaborado con harina y agua.

Sal. Resalta el sabor de la harina y los otros ingredientes, refuerza la calidad del gluten, aumentando su plasticidad y controla el desarrollo de las levaduras. También ayuda a la absorción del agua, mejora el color y espesa la corteza. Recuerde que nunca debe estar en contacto directo con la levadura, porque impide el proceso de fermentación. Puede utilizar tanto sal fina como sal gruesa

Huevos. Se utilizan para unir los elementos gracias al agua que contienen; además enriquecen la masa y le otorgan suavidad.

Leche. Puede ser pasteurizada (se adquiere en el comercio, y habitualmente se utiliza en la vida cotidiana), descremada (se le extrae la crema, por lo que pierde parte de su valor nutritivo), o en polvo (se obtiene por evaporación de agua). Esta última se utiliza para refinar la masa, dándole un sabor suave y un color tenue luego de cocinarla.

Secretos de la producción comercial

• Calcule la proporción de cada ingrediente para lograr el volumen deseado de masa antes de hacerla, así evitará tener sobrantes o faltantes excesivos. Si tiene que utilizar sobrantes, le desproporcionarán la receta y su calidad puede variar. Si debe correr a comprar a último momento, se verán afectados sus costos.

• Cuando deba trabajar con levadura seca, recuerde que 10 g. de ésta equivalen a 50 g. de la

fresca. Si tiene dudas, consulte al fabricante; sus datos figuran en el envase.

• Si sólo cuenta con una mesa de trabajo, es imprescindible que destine distintos sectores para el amasado de dulces, salados y neutros, para evitar mezclar olores y sabores.

• Siempre debe realizar una buena limpieza de la mesa y de todos los utensilios. Lo más económico y efectivo es utilizar agua con un chorro de jugo de limón.

No olvide verificar la fecha de vencimiento de cada materia prima y almacenarla en la forma indicada: las harinas y azúcares deben permanecer en un espacio fresco, seco y a oscuras. La levadura fresca y las materias grasas, en un lugar refrigerado.

• Al ingresar en la cocina, no olvide cubrirse el cabello: una sola hebra dentro de la masa, arruina la mejor receta y la presentación más cuidada. Obviamente, el lavado de manos es indispensable antes y después de manipular las materias primas.

• Bajo ninguna circunstancia permita el ingreso de animales en su área de trabajo: además de la pérdida de pelo, pueden transmitir enfermedades.

• La temperatura ideal del horno cambia según el peso y la forma de los panes. Si elabora panes pequeños, debe ser más alta que para panes grandes. Si el horno está demasiado caliente, las piezas grandes se arrebatan. Por el contrario, si está a una temperatura más baja, las piezas pequeñas tardan en cocinarse y se secan demasiado.

• Si cree que no podrá distribuir sus panes todos los días, piense en realizar aquellos que tienen mayor cantidad de miga, mayor tamaño y/o mayor cantidad de grasa, ya que se mantienen frescos por más tiempo.

Anímese a jugar con la imaginación. Podrá enriquecer sus panes con todo tipo de adicionales dulces o salados: frutas secas (nueces, almendras, avellanas, uvas pasas, maníes), semillas (de girasol, de sésamo), diferentes quesos rallados, especias (orégano, perejil, albahaca), cebolla, cebollín, ajo, y muchas otras opciones.

Segunda Parte
Cómo elaborar su "plan de negocio"

Para planificar su negocio tal como lo hacen los empresarios exitosos, conviene pensar y esbozar por escrito un borrador de un "plan de negocio". Esto le servirá para detectar los posibles inconvenientes antes de que aparezcan y para evaluar los posibles alcances del negocio.

Antes de comenzar a producir sus panes artesanales, es conveniente que arme un "plan de negocio". Se trata de un borrador por escrito, donde evaluará sus posibilidades y sus expectativas con respecto al negocio que está por comenzar. No crea que los planes de negocios son sólo para los grandes empresarios, todo lo contrario. Le permitirá visualizar qué tan viable es su idea y cuál es la perspectiva de crecimiento a largo plazo. No importa que usted empiece en la cocina de su casa y con los utensilios que tiene en este momento. Este plan la ayudará a definir cuál es exactamente el producto que usted está dispuesta a ofrecer (los diferentes panes que puede hacer), la competencia que tendrá, cómo organizará las ventas, qué requisitos de operación y producción debe cumplir, y cómo va a realizar la administración.

Lo que hay que saber para armar el "plan de negocio"

• **Productos.** Describa lo más exactamente posible qué panes desea realizar y vender. Determine cuáles serán los beneficios que obtendrán sus clientes: entrega a domicilio, recetas diferentes, productos para celíacos (este punto se desarrolla más adelante), ingredientes de primera calidad, etcétera.

• **Competencia.** Analice lo que hacen sus competidores directos (los que también venden panes artesanales) e indirectos (los que realizan productos distintos pero compiten por el mismo cliente: panificación industrial, galletas ya envasadas o cualquier otro comestible que puede reemplazar lo que usted hace). Estudie cómo venden y qué precios aplican en la zona donde usted reside.

• **Ventas y mercadeo.** Es imprescindible que conozca a sus clientes, saber dónde están, qué les gusta, cuáles son sus necesidades, qué expectativas tienen, para de este modo poder satisfacer sus necesidades. Sobre esta base, podrá desarrollar una estrategia de ventas y distribución. En cuanto a los precios, tendrá que decidir si competirá por el precio (vendiendo más barato que la competencia) o haciendo productos exclusivos y con un precio mayor. En este caso, defina cómo los va a diferenciar (con ingredientes de primera calidad, presentación vistosa, entrega a domicilio, otras variantes).

• **Requisitos de operación.** Averigüe qué seguros debe contratar, los posibles acuerdos de alquiler o renta, aspectos legales que debe cumplir, como la certificación de organismos de salud y alimentación, y otros requisitos operativos para hacer funcionar su empresa.

- **Producción.** Defina cuál es el equipo necesario para fabricar el tipo de panes que usted desea comercializar y cúal es la escala de producción que pretende afrontar. Luego, describa el proceso completo y cómo realizará la entrega de sus productos.

- **Administración.** Establezca un presupuesto lo más detallado y realista que pueda, determinando la cantidad de dinero que va a necesitar para comenzar el proyecto (inversión o costos iniciales) y la cantidad necesaria para mantenerlo funcionando (costos de operación o de funcionamiento). Es conveniente también hacer una proyección de ventas, es decir, cuánto estima que podrá vender por mes o por año, y cuánto necesita para cubrir sus costos y obtener una ganancia.

Algunos consejos para armar su plan

- Defina plazos razonables. Es preferible establecer objetivos a corto plazo, e ir modificando el plan a medida que avanza con su proyecto (a menudo, la planificación a largo plazo se torna imposible de cumplir, cuando el "día a día" es muy diferente de lo que se pensó).

- Sea muy prudente al determinar cuál es la inversión necesaria para comenzar, así como los plazos, ventas y ganancias que obtendrá.

- Piense de antemano qué hará en caso de encontrar dificultades de tipo comercial: por ejemplo, si entrega una gran cantidad de panes pero le pagan a los 30 días, o si debe adquirir nueva maquinaria para "dar el salto" y no puede financiarla.

- Trate de no depender económicamente de la venta de sus panes. Tenga en cuenta que cualquier negocio toma cierto tiempo antes de dar ganancias. Es mejor asumir que durante el primer año deberá reinvertir todo lo que gana (si es que no tiene pérdidas).

- Antes de comenzar con su negocio, considere trabajar para otra persona que haga panes artesanalmente; consiga una pasantía en una panadería, o al menos entreviste a la mayor cantidad posible de especialistas en el tema. A veces hay una gran diferencia entre la idea de un buen negocio y la realidad, y ésta puede ser la mejor forma de aprender.

Para determinar el precio que pondrá a sus panes, primero debe calcular en forma precisa sus costos mínimos (fijos y variables) y definir cuánto debe vender para cubrirlos. También debe establecer en cuánto tiempo quiere recuperar el dinero que invirtió en instalarse y realizar el trabajo. Pero, además, es indispensable analizar el valor de mercado, es decir, lo que cobran otros proveedores de panes similares. Considere cuánto quiere ganar por su "mano de obra".

Tercera Parte
Cómo fijar el precio de sus productos

La correcta fijación del precio es otra clave fundamental para el éxito de cualquier negocio. Si cobramos demasiado poco no alcanzaremos a cubrir nuestros gastos, y si cotizamos demasiado, nuestro producto será invendible. Aquí le explicamos cómo calcular el precio justo

La correcta fijación del precio es otra clave fundamental para el éxito de cualquier negocio. Si cobramos demasiado poco no alcanzaremos a cubrir nuestros gastos, y si cotizamos demasiado, nuestro producto será invendible. Aquí le explicamos cómo calcular el precio justo

Lo que hay que saber para fijar el precio

Aunque le parezca difícil ponerle precio a sus panes artesanales, le resultará sencillo si tiene en cuenta los siguientes aspectos:

- **Los costos fijos**

Son los gastos que deberá afrontar sin importar el volumen de su producción, ya que son necesarios para mantener en funcionamiento la estructura de trabajo. Entre ellos:

- La renta del lugar donde trabaje (si es que debe rentarlo). Valor aproximado USD$ 400.

- Los diferentes gastos que genera ese espacio (impuestos municipales, el mínimo de luz, gas, agua y teléfonos, limpieza). Valor aproximado USD$ 80.

- El pago de impuestos que marca la ley (pagos mensuales al organismo recaudador, impresión de facturas, etc.). Valor aproximado USD$ 50.

- Las distintas cuotas de compras a plazos o los gastos financiados.

Estos gastos generalmente son mensuales, y debe tratar de recuperar un porcentaje de ellos con cada una de sus ventas, para amortizar el gasto. Es decir, cada cosa que venda la ayudará a solventar estos costos fijos.
En una primera etapa, trate de reducirlos lo máximo posible. Por ejemplo, puede comenzar utilizando un sector de su vivienda (el garaje, la cocina o un cuarto en desuso), o tratar de conseguir un espacio prestado.

Cuando utilice un lugar ya habitado, tome nota de los gastos de los servicios (luz, teléfono, gas, agua) antes y después de comenzar, para saber lo más exactamente posible qué parte de ese costo debe atribuir a su trabajo.
Para que su trabajo esté dentro de las normas vigentes, considere que es un requisito indispensable realizar los aportes legales necesarios. Sin cumplir estos pasos, es difícil que pueda concretar ventas a empresas, o compras por mayor. También es útil que lo haga para poder "descontar" el componente impositivo de las compras que realice (de otra manera, éste pasará a formar parte del costo final). Asimismo, no olvide recurrir a los organismos reguladores de la industria alimenticia para que le indiquen las condiciones que debe cumplir su establecimiento (en un principio, su propia cocina) y registrarse como fabricante de alimentos.

• **Los costos variables**

Son aquellos gastos que se van modificando de acuerdo a la cantidad de panes artesanales que amase y venda. Por ejemplo:

• La infraestructura (estantes o cajas para el almacenado, mesa para amasar, etc.).

• Los ingredientes para elaborar sus productos (harinas, levaduras, grasas, aditivos, etc.).

• La mano de obra (ver más adelante).

• Las herramientas necesarias (maquinaria, espátulas, moldes, cucharas, etc.).

• La comercialización, que incluye:

a. Papelería comercial (su tarjeta, las facturas, remisiones, etc.). Puede comenzar sin ella, pero a medida que el proyecto crezca, la necesitará.
b. Empaque para los panes (cajas, cintas para cerrarlas, bolsas, etiquetas, bandejas).

c. Gastos de promoción: todo lo que invierta en difundir sus panes (folletos o catálogos, volantes, el salario de quien los va a distribuir, avisos en algún diario o revista, página web, etc.).
d. Venta: si tiene vendedores, en este punto debe incluir sus honorarios (básicos y comisiones).
e. La entrega: el combustible, seguro del transporte, estacionamientos, etc. (tanto si la tarea la realiza usted con su vehículo, como si luego contrata a un ayudante con una moto, por ejemplo).

• **Sus honorarios**

(el costo de mano de obra)

Para establecer cuánto desea obtener como pago por su tiempo y su trabajo, evalúe su capacitación, su experiencia previa, su dedicación al cliente (por ejemplo, si deja de lado otros trabajos para dedicarse a la producción de panes), su imagen profesional y cualquier otro aspecto que contribuya a definir su perfil.

Una buena forma de estimar la cifra es determinar un precio por hora de trabajo, y multiplicarlo por el tiempo que invertirá en realizar el pedido (desde que comienza hasta que lo entrega). Por otro lado, usted podrá variar ese número cuando reciba un encargo más importante, si estima que le permitirá cubrir una mayor cantidad de costos fijos y variables.

Determine el valor mínimo que aceptará por cada pedido. Le permitirá negociar con mayor flexibilidad, y evaluar si le conviene trabajar con una ganancia menor para conseguir o mantener un cliente, o como estrategia de mercadeo.

- **Forma de pago**

En general, los panes artesanales se venden en el momento y se cobran en efectivo. Pero si usted decide trabajar para empresas de catering, por ejemplo, deberá considerar el pago con cheques, tarjetas de crédito o financiación en cuotas, incluso, por qué no, con un pago a treinta días después de la entrega.

Este tipo de pago suele ser sugerido por empresas que por su organización administrativa interna no pueden hacer erogaciones inmediatas de dinero. Evalúe si en esta etapa de su negocio usted necesita el dinero para reponer materias primas, o si puede esperar para cobrarlo. En este caso, puede "recargar" el precio con un porcentaje adecuado, para compensar la espera.

- **El valor de mercado**

Averigüe el precio de panes similares a los que usted va a producir, en los lugares donde piensa comercializarlos (pues los precios cambian según las zonas). Recorra los comercios del área y observe lo que ofrecen. Su negocio puede prosperar diferenciándose por el precio (vender más económico y mayor cantidad) o por la exclusividad (vender más costoso y menor cantidad). En el segundo caso, deberá ofrecer un pan con características que el consumidor considere valiosas. En general, la panadería artesanal se vende un 10 % o 15 % por sobre el costo, aunque por una receta exclusiva puede pedir más.

Haciendo cuentas

En un ejemplo sencillo; supongamos que sus costos fijos son de USD$ 100 por mes, mientras que sus costos variables son de USD$ 50 dólares. Usted decide recuperar el 1 % de estos valores con la venta de cada kilogramo de pan, de modo que deberá vender 100 kilogramos al mes para cubrir los gastos. A esto debe sumar el pago por su mano de obra: supongamos USD$ 1 por cada kilogramo de pan artesanal.

Costos fijos:..USD$ 1
Costos variables:.............................USD$ 0,50
Mano de obra.................................USD$ 0,50

Total:..USD$ 2

Quiere decir que para cubrir sus costos y obtener la mínima ganancia esperable por su trabajo, debe vender cada kilogramo de pan artesanal a USD$ 2,00. Averigüe si los valores de mercado en la zona donde vive se corresponden con esta cifra. Si no es así, está a tiempo de analizar sus costos para reducirlos.

UN CASO EXITOSO

Mirta Carabajal comenzó a hacer panes artesanales desde niña, cuando vivía con sus padres y hermanos en una isla a la que en ese entonces llegaban muy pocos proveedores de alimentos. Elaboraba junto con su abuela un pan con grasa que se mantenía fresco durante 3 días.
A los 14 años trabajó como auxiliar de un maestro panadero, quien le enseñó los secretos del oficio, y muy pronto se lanzó a producir sus propios productos.
Su vivienda de entonces era antigua, de habitaciones amplias; unió dos cuartos y en ese espacio armó su cocina. Con una inversión no mayor a los USD$ 1.000 adquirió una amasadora, una cocina nueva, mesas grandes y un refrigerador. En ese mismo lugar, luego comenzó a dictar clases de panadería.
Con el tiempo, decidió capacitarse aún más, y finalmente organizó una empresa de panificación de alta calidad, para abastecer a empresas de catering. Contrató a una persona que la ayudaba dos veces por semana, y luego sumó a su hijo, que estudió gastronomía. Los pedidos no se hicieron esperar, ya que las diferentes recetas de panadería artesanal tienen gran demanda en todos los sectores.
Hoy dicta varios cursos con cupo para 30 alumnos, a los que enseña, entre otras cosas, a hacer canastas con figuras en pan artesanal, para eventos. Sus cursos tienen gran aceptación y asisten a ellos tanto quienes tienen maquinaria como aquellos que prefieren realizar todo manualmente. Sus alumnos pueden preparar biscuits y tortas fritas para vender en zonas marginadas, pero también panes saborizados o festivos, que pueden comercializar en zonas de mayor poder adquisitivo. Para tener a mano productos frescos siempre, sus grandes aliados son –cuando las recetas lo permiten- el microondas y el refrigerador.

Cuarta Parte
Cómo vender sus panes

Las estrategias de mercadeo de las grandes empresas también pueden ser aplicadas en un negocio pequeño. A continuación, presentamos algunos de estos lineamientos básicos y le mostramos cómo puede utilizarlos para planificar la comercialización de sus panes.

¿Conviene ofrecer grandes cantidades de panes sencillos y a un costo accesible? ¿O quizás elaborar recetas sofisticadas y con precio más alto, aunque a menos clientes? Para responder a estas preguntas, puede valerse como ayuda de una pequeña investigación de mercado. La idea es definir cuidadosamente el target (blanco) al que usted apunta (el tipo de cliente que busca alcanzar), y luego elegir las mejores maneras de llegar a él a través de la promoción o publicidad.

Lo que hay que saber sobre los clientes (análisis FODA)

Antes de comenzar a producir sus panes artesanales, debe investigar el mercado y definir lo más claramente posible cómo son sus clientes, dónde están, cuáles son sus recursos y qué necesitan. Evalúe si podrá rivalizar en precio, calidad o servicio con otros proveedores, y observe si en el sector que eligió hay mucha competencia. Además, trate de recorrer negocios del ramo, visitar exposiciones o ferias de panificación para ver qué hay de nuevo, y consultar las publicaciones del sector.

Realice un análisis FODA (son las iniciales de Fortalezas, Oportunidades, Debilidades y Amenazas) de su proyecto, para evaluar objetivamente las condiciones en las que se encuentra. Piense en estos cuatro aspectos en relación con su negocio y sus panes, para explotar las fortalezas y oportunidades, mejorar las debilidades y conjurar las amenazas. Y tenga en cuenta que los clientes y el mercado van cambiando; en consecuencia, la investigación de mercado no se realiza una sola vez: seguramente, deberá realizar ajustes y adaptaciones.

- **Caso I**

¿Usted es creativa y le gusta inventar recetas, ésta es su fortaleza? Los panes saborizados pueden resultar ideales para usted. Cree sus propias recetas, originales, y ofrézcalas a empresas de catering para presentar en fiestas u otros eventos, o déjelos en consignación en almacenes o panaderías más industrializadas.

• **Caso 2**

La celiaquía es una enfermedad cada vez más extendida que consiste en la intolerancia total y permanente a proteínas provenientes del gluten de trigo, avena, cebada y centeno (TACC). Realizar productos para celíacos puede ser una oportunidad comercial muy interesante; sin duda, éstos pueden convertirse en excelentes clientes, pues en el mercado no abundan los productos aptos para ellos (es decir, hay pocas amenazas). Si se decide a elaborar panes sin TACC, puede utilizar harinas de arroz, maíz, patata, algarroba y almidón de trigo especial; ésa será su fortaleza. Este libro incluye una receta de pan sin gluten (ver pág. 128) pero puede seguir investigando las propuestas que aportan las asociaciones de celíacos.

• **Caso 3**

¿Tiene buena mano para las recetas elaboradas? ¿ésa es su fortaleza? ¿Su debilidad, en cambio, es la distribución de productos frescos todos los días? Piense, entonces, en hacer algunos de los panes festivos de este libro, ya que se mantienen en buenas condiciones por varios días.

Tome nota de las fechas especiales en que estos productos tienen más demanda. No piense sólo en Navidad o fin de año.

Target

Trate de imaginar cómo es el "cliente ideal", qué le gusta y qué necesita, cuánto dinero puede gastar, a qué hora consume, qué otro producto suele comprar además de panes, y cualquier otra particularidad que le permita definir a quién van dirigidos sus panes artesanales antes de realizarlos. Hay clientes que valoran una receta exclusiva y los ingredientes de calidad, y están dispuestos a pagar un poco más por ello. Otros valoran el precio, o necesitan una entrega a domicilio. Cuanto mejor defina al cliente y sus necesidades concretas, más sencillo le resultará determinar qué tipo de pan hacer, y cómo venderlo.

Promoción y publicidad

En esta etapa debe pensar en cómo llegar hasta el cliente que ya definió, y comunicarle lo que está haciendo. En general, los panes artesanales se venden a amigos y conocidos, en ferias, fiestas o a través de otros canales de distribución (ver más adelante), pero también puede hacer una promoción a mayor escala usted misma. Hay varias formas de difundir sus productos de manera simple y económica, dentro de la zona a la que usted puede llegar. Por ejemplo, con volantes o folletos que distribuya a la mano, en comercios de la zona o dentro de los periódicos. Los medios de comunicación "zonales" (pequeños periódicos o radios) suelen tener tarifas muy accesibles. Evalúe la conveniencia de anunciar en ellos: aunque no tienen la cobertura de un medio grande, llegan precisamente a la zona donde usted puede vender.

Deberá diseñar avisos claros y atractivos, indicando de qué tipo o variedad son los panes, su calidad de artesanales, dónde y cómo se consiguen, y un teléfono, página web o dirección electrónica si los tiene (por si alguien quiere encargarle productos por esta vía). Trate de organizar y anunciar degustaciones y promociones, como "compre dos al precio de uno", o la realización de panes con diferentes formas o sabores para fechas especiales (como el día de la madre).

Cómo va a vender y a entregar

¿Cómo realizará la venta de sus propios panes? ¿Cómo los hará llegar a sus clientes? Estos aspectos son fundamentales. Si no planifica una forma sencilla y económica de distribución y venta, estará limitada a los lugares donde acceda por sus propios medios o al que lleguen sus clientes al pasar.

- **La venta particular**

En una primera etapa, puede comenzar por sus propios medios (quizás ofreciendo "puerta a puerta" o a sus allegados). Esta forma tiene la ventaja de ser económica y brindar a la venta un toque personalizado. Aproveche para conocer a sus clientes y conversar con ellos sobre sus intereses y necesidades, para mejorar cada vez más lo que ofrece, o generar panes nuevos. Si necesita un vehículo, puede rentar uno llegada la ocasión. Con cada pedido, entregue un folleto o catálogo con sus datos y ofertas.

Para tentar a los golosos, es fundamental transmitirles el buen aspecto, sabor y aroma de sus panes. Si va a realizar folletos o armar una página web, debe contar con buenas fotos, que muestren sus productos de forma muy atractiva.

- **Los vendedores**

Si prefiere dedicarse en forma exclusiva a la producción, contrate vendedores: un buen vendedor puede descubrir nuevos mercados, conseguir pedidos más importantes y lograr mejores condiciones y formas de pago.

Consulte a sus conocidos o familiares por potenciales interesados. Vea si puede contratar a alguien que ya venda productos afines a los que usted hace, para que sume sus panes a lo que ya está vendiendo y tenga una red de clientes propios para ofrecerle.

Los vendedores suelen cobrar un importe fijo

para cubrir sus gastos de movilidad, y un porcentaje que se pacta de entrada sobre lo logrado en cada venta (a la hora de determinar el precio del pan, esto debe considerarse un gasto variable; otra opción es que usted lo venda al mismo precio de siempre, y el vendedor le sume su porcentaje de ganancia).

• **El comercio minorista**

Tenga en cuenta que el comerciante le impondrá un valor mayor, para quedarse con ese margen como su ganancia. Averigüe cuál es el recargo que le impondrá, y evalúe si le conviene bajar un poco su precio para no subir demasiado el costo al cliente. Analice la zona geográfica a la que puede llegar en esta etapa. Camine y observe los comercios ya instalados, tomando nota de aquellos en los que podría vender sus panes. Elija aquellos que ofrezcan la misma rama de productos que usted ofrecerá, pero también otros a los que llegue su "cliente ideal". Usted mismo, como cliente, ¿nunca se tentó con un accesorio a la venta en un negocio al que ingresó para comprar indumentaria?

• **El mayorista o distribuidor**

Estos comercios proveen mercaderías a otros comercios de menor tamaño. Si decide ofrecer sus panes a un mayorista o distribuidor, tenga en cuenta que deberá bajar sus precios, porque ellos a su vez los incrementarán para que la operación les resulte beneficiosa. Seguramente también le pedirán diferentes documentos legales (facturas, certificados de elaboración según las normas vigentes, y de inscripción en organismos de salud, etc.). Pero, de todos modos, puede resultar un muy buen negocio, por la gran cantidad de unidades que el mayorista o distribuidor adquieren. Además, a través de ellos podrá llegar a lugares muy distantes, y abrir nuevos mercados que, quizá, nunca había considerado.

• **Internet**

La venta a través de la red permite reducir mucho los costos variables, ya que alcanza con subir la información a la página sin necesidad de invertir en folletos o catálogos, vendedores, muestras, otros. Sin embargo, diseñar una página para promocionar y vender sus panes tiene sus secretos. Consulte con un especialista; a la vez, defina claramente qué productos va a vender, a qué cliente aspira llegar y cuáles son sus condiciones de venta y entrega. Puede armar un catálogo en línea, y contar con un programa que le permita recibir los pedidos.

Conservas
Frutas en conserva
Verduras en conserva
Salsas y aderezos
Carnes y pescados
Licores

INGREDIENTES

1 - Frutas de estación

2 - Pimienta negra en grano

3 - Leche

4 - Grasa liquida

5 - Almíbar

6 - Vinagre de alcohol

7 - Aceite de oliva
8 - Anís estrellado
9 - Canela en rama
10 - Alcohol fino
11 - Vinagre de manzana
12 - Azúcar
13 - Verduras de estación
14 - Hierbas frescas

UTENSILIOS

1 - Tazón de plástico
2 - Embudo
3 - Prensaverduras
4 - Coladores y cernidores
5 - Tazón de vidrio
6 - Ollas de acero inoxidable
7 - Pinza
8 - Termómetro
9 - Cucharas de madera
10 - Botellas de vidrio
11 - Película plástica
12 - Papel encerado

13 - Cuchillos
14 - Frasco con tapa a rosca
15 - Balanza
16 - Frasco hermético de vidrio
17 - Tijeras
18 - Jarra medidora
19 - Despepitador
20 - Pelador de verduras
21 - Pelador
22 - Espátula de goma
23 - Rallador
24 - Tabla de picar

Técnicas básicas

Antes de comenzar, usted debe conocer todos los secretos de la realización de conservas. Lea atentamente estas páginas y manos a la obra.

ESTERILIZACIÓN DE FRASCOS Y ENVASADO

Los frascos de vidrio deben hervirse en agua con sus respectivas tapas dentro de una olla grande y profunda para que queden totalmente sumergidos. Una vez que rompa el hervor, déjelos en la olla a fuego fuerte 10 minutos más. Retírelos con una pinza y colóquelos boca abajo sobre un lienzo limpio. En una placa para horno, llévelos a horno precalentado a 120 °C, durante otros 15 minutos. Deje enfriar un poco.

Todos los utensilios que intervienen en el envasado, deben estar esterilizados, o extremadamente limpios. Utilice un embudo de acero inoxidable para no manchar los frascos, y llénelos con la preparación aún caliente, dejando 1 cm libre entre la preparación y el borde del frasco.

Antes de colocar la tapa, rocíele alcohol y retire el excedente con papel de cocina. Coloque todos los frascos llenos y envueltos con lienzos en una olla. Cúbralos con agua, lleve la olla a fuego fuerte hasta que el agua hierva, y déjelos sumergidos y en estado de ebullición el tiempo que indique el cuadro siguiente. Retírelos y enfríe sobre una tabla de madera.

Para saber si el proceso de la esterilización ha sido un éxito, verifique que las tapas se hundan a medida que se enfría la preparación. Etiquete y conserve en un lugar fresco y seco.

Las conservas durarán aproximadamente un año.

	OLLA ABIERTA		OLLA A PRESIÓN	
		110°C	116°C	121°C
Frascos de 400 ml.	25 min.	30 min.	25 min.	12 min.
Frascos de 800 ml.	30 min.	40 min.	30 min.	6 min.

HIGIENE

- La cocina debe estar siempre limpia y en perfectas condiciones. Los ingredientes deben estar bien almacenados, y no sufrir deterioro por calor, falta de frío o humedad.
- Todos los utensilios deben estar esterilizados.
- Lávese las manos antes de empezar a cocinar, y todas las veces que sea necesario durante el proceso.
- Evite la contaminación "cruzada". Si cortó carnes crudas en una tabla, lávela cuidadosamente con agua y detergente antes de cortar una carne cocida. Tenga diferentes tablas para vegetales y carnes.
- La contaminación del producto terminado puede provenir de varios factores: materias primas, lugar de trabajo, manipuladores, métodos, utensilios. Controle cada uno de ellos meticulosamente.

RECIPIENTES

Todos los recipientes que se utilicen en la preparación de conservas, deben ser de materiales que soporten altas temperaturas. El vidrio es uno de los más aconsejables, junto con el acero inoxidable y la porcelana. Nunca utilice aluminio o plástico, éstos son materiales corrosivos que absorben los sabores, se manchan y pueden interactuar con productos ácidos de manera poco recomendable para el resultado final.

FILTRADO

Generalmente, al preparar conservas, los líquidos como aceites o vinagres donde fueron preparadas, se tornan turbios.
Es conveniente filtrar el fluido antes del envasado final, para que quede transparente y prolijo dentro de la botella. Para esto puede utilizarse un paño limpio de trama muy fina, como una gasa, o un filtro de papel o de tela.

Frutas en Conserva

Dulce de frambuesas

Este dulce tiene buen rendimiento: entre 4 y 5 frascos de 400 gramos por kilo de fruta. No debe faltar en su producción habitual, los clientes lo volverán a comprar.

4-5 frascos de 400 g.

INGREDIENTES

- 1 kg. de frambuesas
- 700 g. de azúcar
- Jugo de un limón

Venda más

La frambuesa está de moda. Podrá vender este dulce más caro que una mermelada común.

PREPARACIÓN

1. Coloque las frambuesas, el azúcar y el jugo de limón en un recipiente de acero inoxidable.

2. Mezcle bien, tape con un paño y deje reposar 2 horas, mientras el azúcar se disuelve y se integra con la fruta y el jugo. Revuelva con cuchara de madera.

3. Coloque la fruta con su jugo dentro de una olla a fuego bajo y cocine revolviendo con una cuchara de madera. Retire las impurezas con una espumadera.

4. Cocine a fuego medio hasta alcanzar los 106 °C. Al finalizar la cocción, continúe revolviendo para evitar que se pegue. Compruebe el punto de la mermelada colocando una cucharada en un plato bien frío; si al hacer un surco éste queda marcado, entonces ya estará lista. Esterilice los frascos y envase la preparación (Técnicas básicas en pág. 218).

1

2

3

4

Jalea de manzanas

Las manzanas tienen el equilibrio justo de acidez y pectinas, que se requiere para lograr una consistencia de jalea. Para un toque especial, incluya una rama de canela.

4-5 frascos de 400 g.

INGREDIENTES

- 12 manzanas
- 1 rama de canela
- Azúcar
- Agua

Secreto útil

Las jaleas industriales tienen una consistencia diferente a la de las caseras. Esto se debe al agregado de gelificantes.

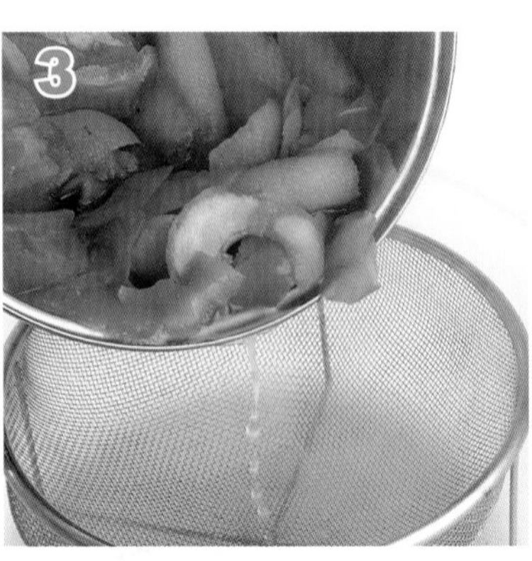

PREPARACIÓN

1. Retire el centro de las manzanas con ayuda de un despepitador y pélelas.

2. Coloque los centros, las cáscaras y la canela en una olla y cúbralos con agua. Hiérvalos hasta que el líquido se reduzca a la mitad.

3. Ubique un lienzo sobre un colador de alambre y vierta la preparación anterior. Descarte las semillas y las cáscaras. Mida el líquido resultante con una jarra medidora y agregue el mismo peso en azúcar.

4. Coloque las manzanas, el líquido obtenido y el azúcar en una olla y cocine a fuego medio hasta que la preparación llegue a una temperatura de 110 °C o hasta que alcance el punto de jalea. Retire la olla del fuego, esterilice los frascos y envase la jalea (Técnicas básicas en pág. 218).

Duraznos a la vainilla

La clave del éxito de esta confitura está en la selección de los duraznos. Elíjalos de pulpa firme y sin marcas. No los manipule demasiado, porque se dañan con facilidad.

8 frascos de 400 g.

INGREDIENTES

- 2,5 kg. de duraznos (no demasiado maduros)
- 1 l. de agua
- 2 kg. de azúcar
- 1 vaina de vainilla
- Ralladura de 1 naranja
- Papel manteca

PREPARACIÓN

1. Ponga a hervir en una olla los duraznos en abundante agua durante 1 minuto. Colóquelos en un recipiente con agua helada y pélelos tratando de levantar sólo la piel, para que conserven su forma redondeada y lisa.

2. Córtelos al medio y con la ayuda de un cuchillo filoso o una cuchara afilada en uno de sus lados, retire el hueso sin dañar la pulpa.

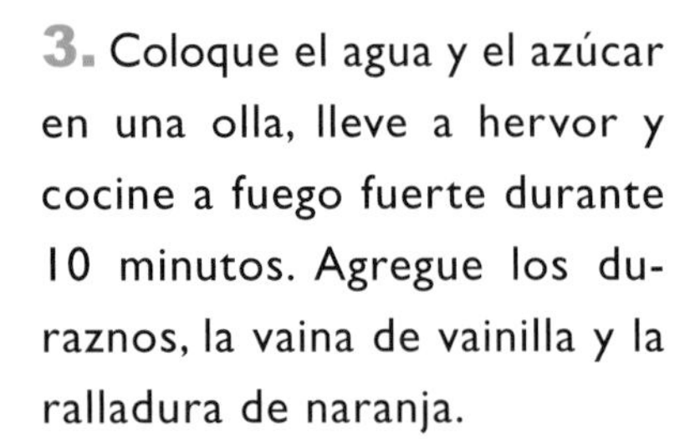

3. Coloque el agua y el azúcar en una olla, lleve a hervor y cocine a fuego fuerte durante 10 minutos. Agregue los duraznos, la vaina de vainilla y la ralladura de naranja.

4. Cubra con papel manteca para que los duraznos queden totalmente sumergidos. Cuando rompa el hervor, cocine durante 10 minutos más. Retire del fuego. Esterilice los frascos y envase la preparación con sumo cuidado (ver Técnicas básicas en pág. 218).

Al momento de envasar el almíbar debe cubrir todos los duraznos ya que de lo contrario, se tornarán negros.

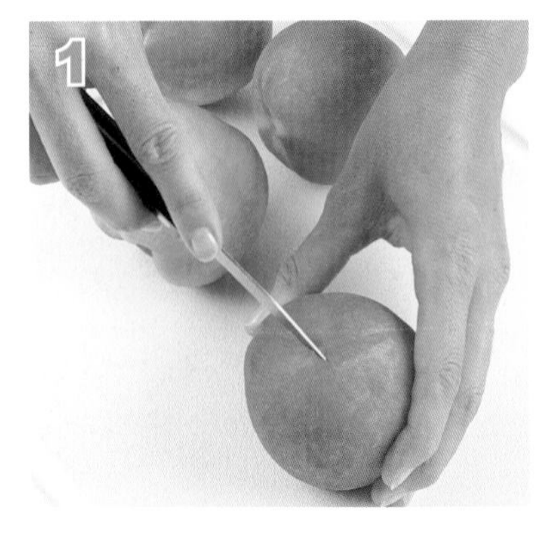

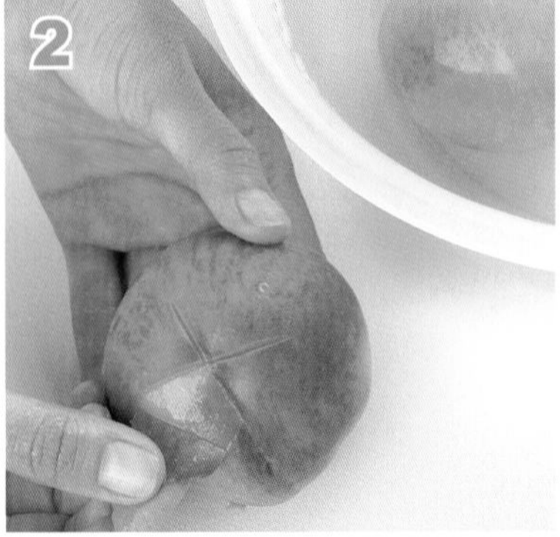

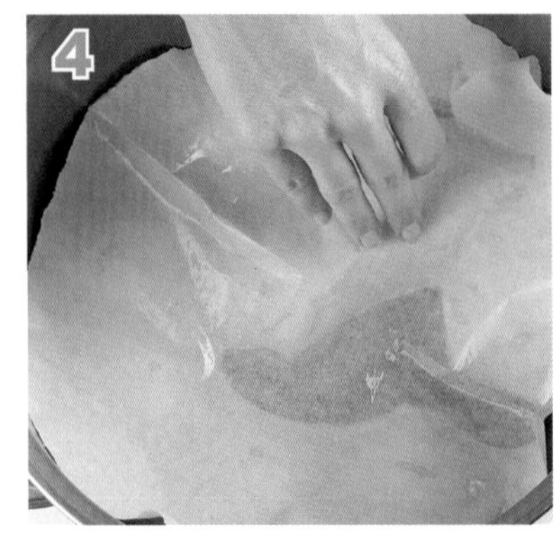

Dulce de leche

Esta delicia es ideal para pasteles, roscones, rollos, bizcochuelos y bizcochos. Una vez que sus clientes lo prueben, no querrán volver al dulce de leche industrial.

2-3 frascos de 400 g.

INGREDIENTES

- 1 l. de leche pasteurizada
- 1 cdita. de bicarbonato de sodio (10 g)
- 1 vaina de vainilla o 1 cdita. de esencia de vainilla
- 200 g. de azúcar
- 2 cdas. de glucosa

Venda más

Coloque en las etiquetas del dulce de leche la fecha de elaboración, de vencimiento y los ingredientes utilizados.

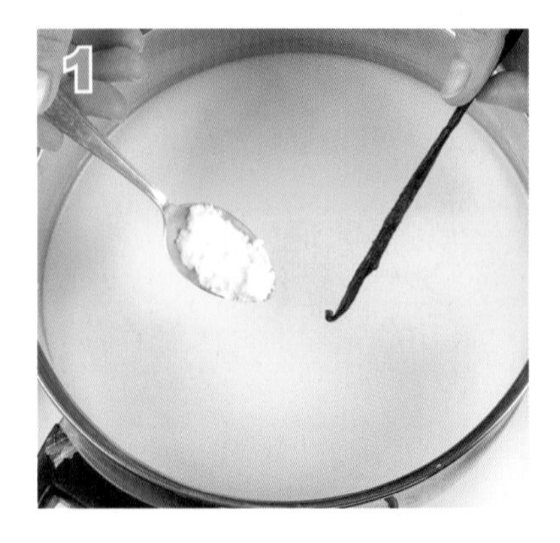

PREPARACIÓN

1. Coloque la leche y el bicarbonato en una cacerola junto con la vaina de vainilla o la esencia de vainilla . Cuando rompa el primer hervor agregue la mitad del azúcar y revuelva con una cuchara de madera.

2. Cuando la preparación vuelva a hervir, incorpore el resto del azúcar y continúe revolviendo.

3. Agregue las dos cucharadas de glucosa y mezcle bien.

4. Cocine a fuego bajo, sin dejar de revolver, hasta que la preparación resulte espesa y tenga un tono amarronado. Es importante que no se pase porque entonces quedará azucarado. Esto sucede cuando el azúcar se cristaliza.
Retire con cuidado del fuego, esterilice los frascos y envase el dulce de leche (Técnicas básicas en pág. 218).

Calabaza en almíbar

En el mercado se consiguen calabazas de distintas formas y sabores. Aproveche para preparar esta deliciosa conserva que sus clientes adorarán.

5-6 frascos de 400 g.

INGREDIENTES

- I kg. de calabaza Angola (ahuyama)
- 250 g. de cal viva
- 700 g. de azúcar
- I rama de canela
- Esencia de vainilla

PREPARACIÓN

1. Lave la calabaza con abundante agua y con la ayuda de un cepillo. A continuación córtela en rodajas de 3 cm. Retire con cuidado el centro con las semillas y quite la cáscara con la ayuda de un pelador filoso o de un cuchillo.

2. Corte en cubos del mismo tamaño para que la cocción sea pareja. Separe los trozos que hayan quedado triangulares o disparejos. Resérvelos para una mermelada.

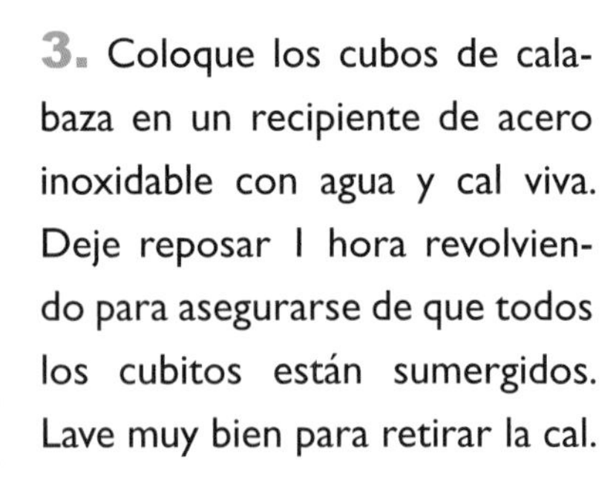

3. Coloque los cubos de calabaza en un recipiente de acero inoxidable con agua y cal viva. Deje reposar I hora revolviendo para asegurarse de que todos los cubitos están sumergidos. Lave muy bien para retirar la cal.

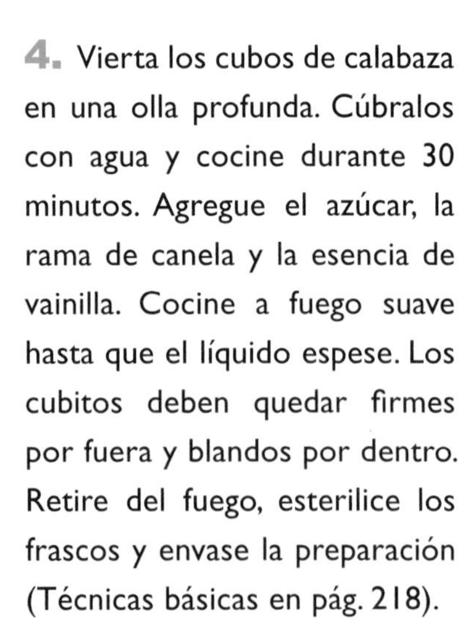

4. Vierta los cubos de calabaza en una olla profunda. Cúbralos con agua y cocine durante 30 minutos. Agregue el azúcar, la rama de canela y la esencia de vainilla. Cocine a fuego suave hasta que el líquido espese. Los cubitos deben quedar firmes por fuera y blandos por dentro. Retire del fuego, esterilice los frascos y envase la preparación (Técnicas básicas en pág. 218).

Confitura de fresas

Para servir con helado, con cheesecake o con un simple acompañamiento de crema batida, estas fresas son una delicia. Acompañe los frascos con algunas sugerencias.

2-3 frascos de 400 g.

INGREDIENTES

- 1 kg. de fresas
- Jugo de 1 limón
- 700 g. de azúcar
- 1 cda. de pimienta negra en grano
- 1 cda. de tomillo

Secreto útil

Para retirar las impurezas, tenga a mano un recipiente con agua fría. Pase la espumadera por la preparación y deposite en el agua fría.

PREPARACIÓN

1. Coloque las fresas, el jugo de limón y el azúcar en un recipiente enlozado, o de acero inoxidable, y deje reposar tapado durante 2 horas. Las fresas desprenderán sus jugos por acción del azúcar.

2. Vierta la preparación anterior con el jugo en una olla. Agregue la pimienta y el tomillo. Cocine a fuego fuerte durante 15 minutos.

3. Retire las impurezas con ayuda de una espumadera y verifique que las fresas no se desarmen durante la cocción.

4. Retire las fresas y reserve. Mientras tanto continúe la cocción del jugo hasta lograr un almíbar espeso.
Retire del fuego y agregue las fresas. Esterilice los frascos y envase la preparación. (Técnicas básicas en pág. 218).

Higos en almíbar

Perfumados, suaves y versátiles, los higos en almíbar tienen muchos adeptos. Cuide los detalles del envasado y etiquetado de los frascos.

2-3 frascos de 400 g.

INGREDIENTES

- 1 kg. de higos
- 600 g. de azúcar
- 1 clavo de olor
- 2 anís estrellados
- 1 l. de agua
- 1 rama de canela
- 1 cda. de glucosa

Secreto útil

Acomode los higos con mucho cuidado: todos deben quedar con el cabito hacia arriba.

PREPARACIÓN

1. Coloque el azúcar, el clavo de olor, el anís estrellado, la canela y el agua en una olla a fuego fuerte. Una vez que rompa el hervor, cocine a fuego lento durante 10 minutos.

2. Lave los higos y corte el cabito dejando sólo 1 cm. pegado a la fruta. Agregue los higos a la preparación anterior. Pínchelos durante la cocción para que el almíbar penetre en su interior.

3. Agregue una cucharada de glucosa, de este modo evitará que el azúcar se cristalice.

4. Retire las impurezas del azúcar con ayuda de una espumadera y cocine hasta que el almíbar llegue a los 120 °C. Retire la preparación del fuego. Esterilice los frascos y envase los higos con el almíbar. Si el almíbar no está traslúcido cuélelo con un lienzo antes de verterlo en los frascos.

Mermelada de naranja

Un clásico de las confituras que se renueva y vuelve. La misma receta puede utilizarse para preparar una mezcla de cítricos o hacer una mermelada de toronja o limón.

4-5 frascos de 400 g.

INGREDIENTES

- 6 naranjas amargas
- 2 cdas. de sal gruesa
- 2 l. de jugo de naranjas dulces
- 500 g. de azúcar

PREPARACIÓN

1. Lave bien las naranjas. Colóquelas en una olla con abundante agua y sal gruesa. Déjelas hervir durante 15 minutos. Retírelas y lávelas muy bien con abundante agua fría hasta eliminar completamente la sal. Pélelas tratando de obtener trozos grandes de cáscara. Elimine la parte blanca y amarga y corte las cáscaras en tiras finas. Hiérvalas en agua durante 5 minutos y cuele. Reserve.

2. Corte por la mitad las naranjas y exprímalas. Mida la cantidad de jugo resultante y complételo con el jugo de naranjas dulces hasta llegar a los dos litros. Reserve.

3. Pese las cáscaras que había reservado. Por cada 500 g. coloque 500 g. de azúcar y 2 litros de jugo de naranjas en una olla.

4. Cocine a fuego bajo durante 2 horas hasta que espese lo suficiente como para que si pasa una cuchara de madera por el centro de la preparación quede marcado un surco. Esterilice los frascos y envase la preparación (Técnicas básicas en pág. 218).

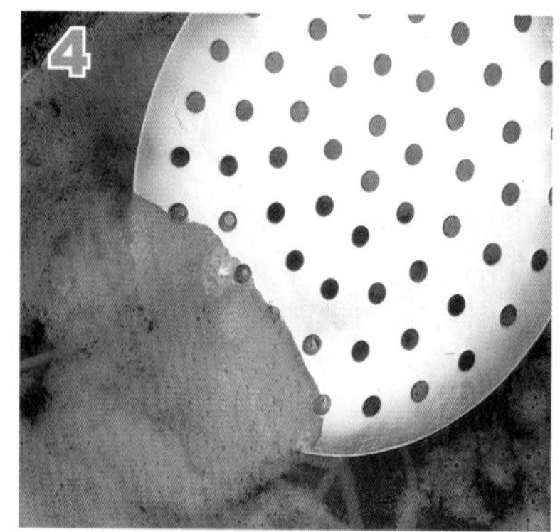

Verduras en Conserva

Pimientos asados

Una vez abierto el frasco de pimientos, consérvelo en el refrigerador para evitar que el alimento se contamine o deteriore. Informe esto a sus clientes.

1-2 frascos de 400 g.

INGREDIENTES

- 4 pimientos colorados
- 1 cabeza de ajo
- 2 cdas. de pimienta negra en grano
- 2 hojas de laurel
- Aceite de oliva, cantidad necesaria

PREPARACIÓN

1. Lave los pimientos y colóquelos sobre la hornalla de la cocina a fuego moderado hasta que su piel esté bien quemada. Utilice una pinza y guantes para no quemarse. Vaya rotándolos para que toda su superficie se ase en forma pareja.

2. Distribuya los pimientos en un tazón, cubra con película plástica hasta que se enfríen. Retire la piel, las semillas y las partes blancas de su interior.

3. Envuelva la cabeza de ajo en papel de aluminio y cocine en horno moderado 1 hora. Separe los dientes del ajo y cortando los extremos, retire la piel.

4. Corte los pimientos en trozos grandes y colóquelos en frascos esterilizados junto con los dientes de ajo, laurel y pimienta. Cubra con el aceite y tape.

1

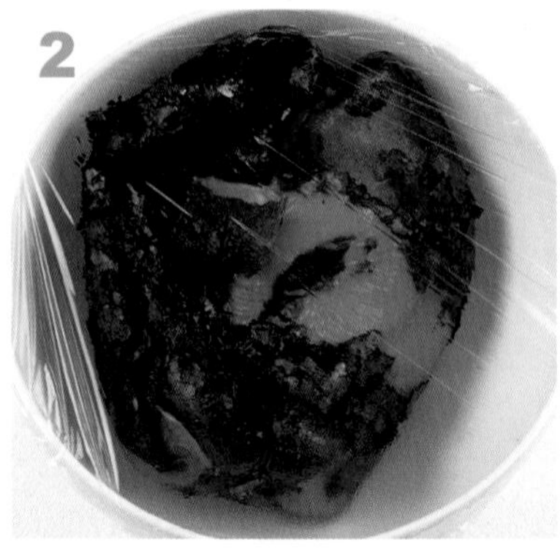
2

3

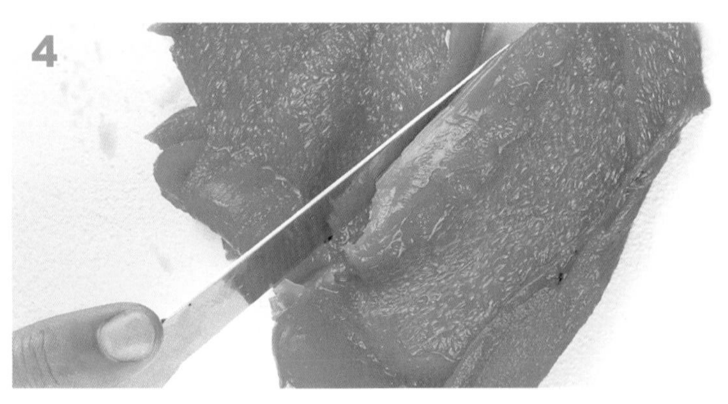
4

Pasta de berenjenas

Esta receta es ideal para armar bocaditos. Incluya en la etiqueta diferentes combinaciones posibles para que sus clientes sepan cómo usarla y disfrutarla.

INGREDIENTES

- I kg. de berenjenas
- I taza de aceite de oliva
- Sal, a gusto
- I cdita. de azúcar
- Pimienta, a gusto
- I diente de ajo
- Jugo de I limón
- Ralladura de I limón

Para evitar que la pasta resulte amarga espolvoree las berenjenas con sal gruesa y deje reposar una hora. Lave bien y cocinelas.

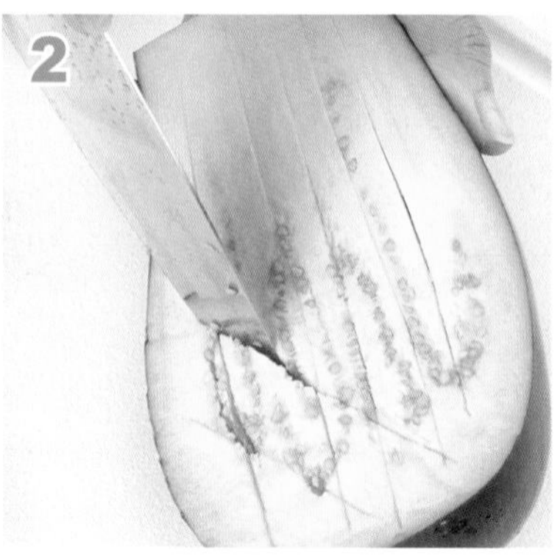

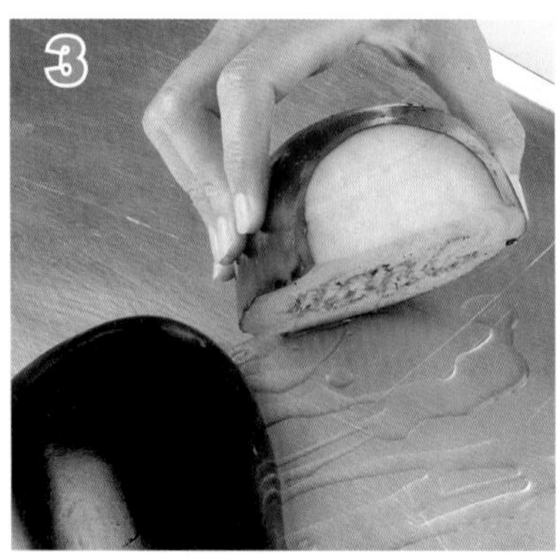

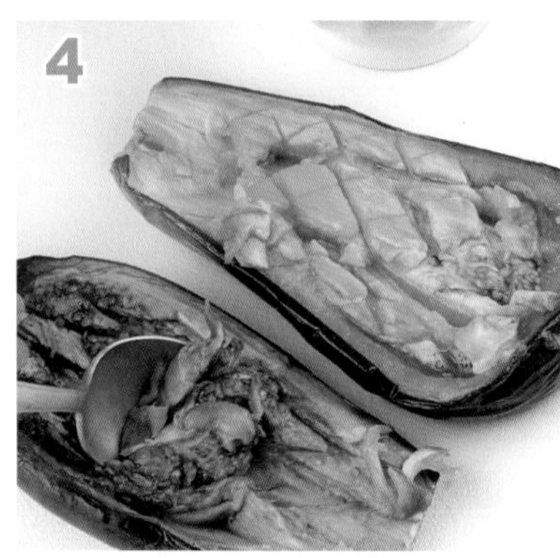

PREPARACIÓN

1. Con un cuchillo filoso retire el tallo de las berenjenas y córtelas en mitades a lo largo.

2. Tome una mitad de berenjena y en la parte central realice primero cortes longitudinales y luego cortes en diagonal. Repita este procedimiento con todas las mitades.

3. Colóque las berenjenas boca abajo en una asadera apenas aceitada. Lleve al horno, a temperatura moderada, hasta que la pulpa esté bien tierna.

4. Retire la pulpa con una cuchara y condimente con el aceite de oliva, la sal, el azúcar, la pimienta, el diente de ajo picado y salteado y el jugo y la ralladura de limón. Esterilice los frascos y envase la pasta de berenjenas. Si al envasar la pasta agrega un rodaja de limón le dará un toque diferente.

Aceitunas en salmuera

Una vez que alguien prueba las aceitunas en salmuera caseras ya nunca más quiere las industrializadas. Resalte que este producto no tiene aditivos ni conservantes.

1-2 frascos de 400 g.

INGREDIENTES

- Aceitunas, cantidad necesaria
- Sal, cantidad necesaria
- Agua, cantidad necesaria
- Ramas de romero

PREPARACIÓN

1. Coloque las aceitunas en un recipiente de vidrio o de cerámica y cubra con agua y sal (10 g. de sal por cada litro de agua).

2. Ubique un plato sobre las aceitunas y un peso sobre este, para que queden bien sumergidas.

3. Cambie el agua cada 4 días durante 20 días. Para ello, pase las aceitunas por un colador y retire toda el agua. Vuelva a colocarlas dentro de un recipiente, cubra con agua y sal y tape. Repita este procedimiento las veces indicadas, para conseguir así que las aceitunas pierdan su sabor amargo.

4. Vierta 1 litro de agua y 200 g. de sal en una olla y lleve a hervor. Retire la olla del fuego, deje enfriar un poco y filtre la salmuera para eliminar las impurezas. Retire las aceitunas del agua y colóquelas en un recipiente. Condimente con el romero, envase en un frasco previamente esterilizado y tape herméticamente. Guarde el frasco en un lugar oscuro y seco durante 2 meses.
Antes de servir enjuague las aceitunas muy bien para retirar el exceso de sal.

Escabeche de verduras

Una conserva especial para acompañar carnes de ave. Cerciórese de que las verduras queden totalmente sumergidas antes de cerrar y esterilizar los frascos.

4-6 frascos de 400 g.

INGREDIENTES

- 2 cebollas
- 2 zanahorias
- 1/2 coliflor
- 1/2 hinojo
- 2 tallos de apio
- 2 cdas. de sal
- 1 taza de vinagre de vino blanco
- 1 taza de aceite
- 1 cdita. de pimienta
- 2 cdas. de azúcar
- 1 cda. de mostaza en polvo
- 1 cda. de almidón de maíz

PREPARACIÓN

1. Pele las cebollas y las zanahorias. Lávelas bien junto con la coliflor, el hinojo y el apio. Corte las verduras en trozos pequeños.

2. Colóquelos en un tazón, agregue la sal y revuelva. Deje reposar por 4 horas. Lávelos bien y escurra el exceso de agua con la ayuda de un colador de verduras.

3. Coloque el vinagre, el aceite, la pimienta, el azúcar y la mostaza en una olla de acero inoxidable. Agregue la verdura, lleve a ebullición, baje el fuego y cocine hasta que esté tierna. Agregue el almidón de maíz disuelto en un poco de agua fría y cocine durante 5 minutos más hasta que espese.

4. Retire las verduras del fuego. Esterilice los frascos y envíselas junto con el líquido de cocción. Con la ayuda de un palillo, acomode cuidadosamente todas las verduras para lograr una excelente presentación.

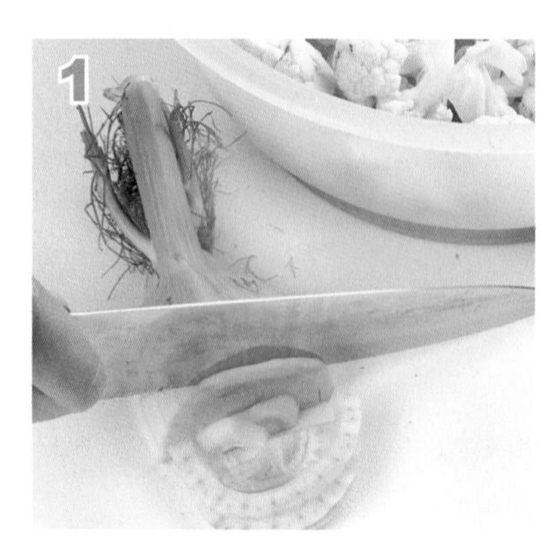
1

2

3

4

Tomates asados

Conviene consumir esta conserva diez días después de realizada, para que los ingredientes adquieran su punto máximo de concentración de sabor.

2-3 frascos de 400 g.

INGREDIENTES

- 1 kg. de tomates
- Aceite de oliva, cantidad necesaria
- 2 cdas. de sal
- 1 cda. de pimienta negra molida
- 6 ramas de tomillo
- 2 cdas. de azúcar

PREPARACIÓN

1. Lave bien los tomates y con ayuda de un cuchillo córtelos en mitades longitudinalmente.

2. Pincele una placa para horno con aceite de oliva. Coloque las mitades de tomate con el corte hacia abajo sobre la placa para horno aceitada, dejando la misma distancia entre uno y otro para que se cocinen parejos.

3. Combine la sal, la pimienta, el tomillo y el azúcar en un tazón. Espolvoree los tomates con la mezcla de condimentos y cocine en horno suave, a temperatura baja durante 1 hora.

4. Coloque los tomates asados dentro de frascos previamente esterilizados y cubra con el aceite de oliva. Tape herméticamente y esterilice (ver Técnicas básicas en pág. 218).

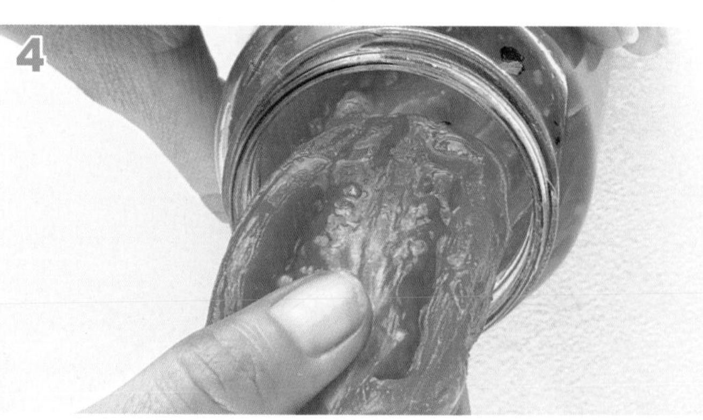

Cebollas en vinagre

Los productos conservados en vinagre no deben sacarse del frasco con utensilios de metal. Distíngase de la competencia: venda el frasco con una cuchara de madera.

1-2 frascos de 400 g.

INGREDIENTES

- 500 g. de cebollas pequeñas
- 2 hojas de laurel
- 1 chile
- 2 cdas. de azúcar
- Vinagre, cantidad necesaria
- 2 l. de agua
- 150 g. de sal gruesa
- Granos de pimienta negra

Secreto útil

Es muy importante hervir el vinagre antes de utilizarlo en la conserva ya que esto ayuda a concentrar su acidez.

PREPARACIÓN

1. Pele las cebollas con cuidado de que queden enteras y sin golpes. Mezcle el agua con la sal y colóquela en un tazón de vidrio junto con las cebollas. Coloque un plato sobre ellas y luego un peso sobre éste para que queden sumergidas. Deje reposar durante 24 horas.

2. Lave las cebollas hasta quitarles toda la sal. Colóquelas en frascos esterilizados. Incorpore la pimienta, el laurel y el chile.

3. Vierta el azúcar en forma de lluvia, para que se distribuya en toda la preparación.

4. Coloque el vinagre en una olla y llévelo al fuego hasta alcanzar el punto de ebullición. Retire y cubra totalmente las cebollas. Cierre bien los frascos y conserve en un lugar fresco y oscuro durante 3 semanas antes de consumir.

Chiles en vinagre

Son deliciosos para acompañar carnes asadas. Estos chiles resultan picantísimos y no todos los clientes lo saben. Incluya esta información en las etiquetas.

3-4 frascos de 400 g.

INGREDIENTES

- 1 kg. de chiles
- Vinagre blanco, cantidad necesaria
- 1 cda. de sal gruesa
- 1 rama de canela
- 2 cdas. de pimienta negra en grano

Tenga la precaución de no llevarse las manos a los ojos o a la boca. Cepíllese bien las uñas para elimiar todo rastro de chile.

PREPARACIÓN

1. Coloque los chiles en un tazón con abundante agua. Lávelos bien y séquelos con un lienzo limpio. Calcule la cantidad de vinagre necesaria para llenar 3/4 partes del frasco elegido.

2. Con cuidado, retire los cabos de los chiles. Coloque el vinagre junto con la sal en una olla y lleve a fuego moderado. Una vez que haya alcanzado el punto de ebullición, retire del fuego y deje enfriar.

3. Disponga los chiles en el frasco esterilizado, de manera tal que queden parados y bien apretados para evitar que luego floten al agregar el vinagre.

4. Agregue la canela y la pimienta. Cubra completamente los chiles con el vinagre mezclado con la sal, y tape el frasco herméticamente. Finalmente, vuelva a esterilizar el frasco.

La Empresa en Casa

Salsas y Aderezos

Salsa de tomate

Apreciada por niños y adultos por igual, la salsa de tomate es un producto básico de la cocina. Recomiéndela como aderezo de pastas, papas y carnes rojas.

2-3 frascos de 400 g.

INGREDIENTES

- 2 kg. de tomates maduros
- 1 pimiento colorado
- 1 kg. de cebollas
- 2 dientes de ajo
- 1 y 1/2 taza de azúcar rubia
- 200 c.c. de vinagre de vino
- 4 cdas. de mostaza
- 2 cdas. de extracto de tomate

PREPARACIÓN

1. Corte los tomates maduros, el pimiento y las cebollas, previamente peladas, en trozos no muy grandes. Pique los ajos y colóquelos en una olla junto con las otras verduras previamente cortadas.

2. Condimente con el azúcar, el vinagre y la mostaza. Coloque la olla sobre el fuego fuerte hasta que comience a hervir. En ese momento, baje el fuego, agregue el extracto de tomate y cocine aproximadamente 45 minutos, revolviendo de vez en cuando con una cuchara de madera, para evitar que se queme la preparación.

3. Retire del fuego y procese la salsa obtenida en una licuadora, o en un procesador de alimentos, hasta que tenga la consistencia de un puré.

4. Pase el puré obtenido por un colador, para lograr una salsa homogénea. Por último, vuelva a cocinar a fuego moderado durante unos 5 minutos. Retire del fuego, esterilice los frascos y envase la preparación con mucho cuidado.

KETCHUP

Mostaza

Busque frascos pequeños de no más de 250 gramos para envasar la mostaza. Corte esferas de papel madera o artesanal, cubra las tapas y átelas con un hilo rústico.

2-3 frascos de 400 g.

INGREDIENTES

- 2 tazas de semillas de mostaza blanca
- 50 g. de azúcar morena
- 1 cdita. de sal gruesa
- 1 cdita. de pimienta negra molida
- 1 cdita. de páprika
- 1 cdita. de cúrcuma
- 300 cc de vinagre de vino
- 1 cda. de albahaca fresca

Este aderezo es ideal para realzar el sabor de las carnes asadas.

PREPARACIÓN

1. Procese las semillas de mostaza con el azúcar, la sal, la pimienta, la páprika y la cúrcuma en una licuadora, o en un procesador de alimentos.

2. Agregue el vinagre caliente sobre las pasta de especias y deje reposar hasta que las semillas se hidraten.

3. Incorpore la albahaca cortada en finas julianas y mezcle muy bien. Coloque la preparación en frascos esterilizados.

4. Cubra la boca de los frascos con círculos de papel encerado y tape. No olvide una etiqueta donde especifique, fecha de elaboración y caducidad. Esta mostaza, se conserva en alacena por aproximadamente 3 meses. Una vez abierta, su duración será de un mes, y es recomendable que se mantenga en refrigeración.

Vinagre especiado

Cultive sus propias especias. Puede hacerlo en macetas. Logrará mejorar la calidad y presentación de los productos, además de reducir costos.

4 frascos de 250 ml.

INGREDIENTES

- 1 l. de vinagre de vino blanco
- 2 dientes de ajo
- 4 ramas de tomillo
- 4 ramas de orégano
- 1 cda. de pimienta negra en grano

Secreto útil

Para que los ajos no resulten indigestos, retire el brote de su interior con la ayuda de un cuchillo, .

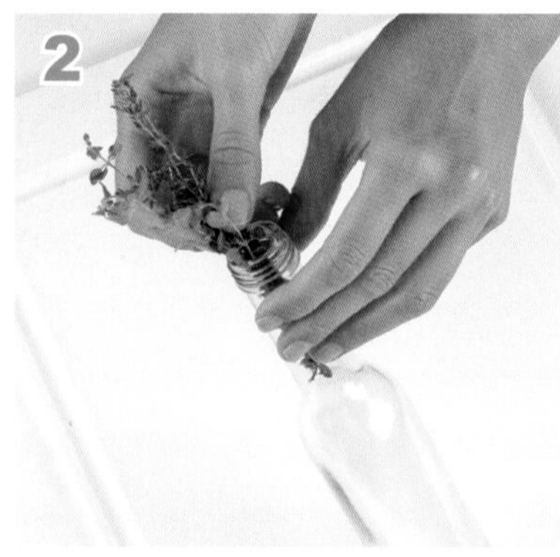

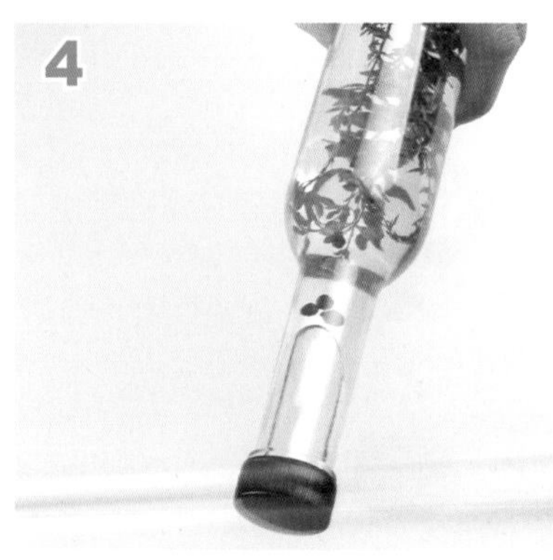

PREPARACIÓN

1. Coloque el vinagre en una olla y lleve a fuego moderado. Deje hervir durante unos 2 minutos y reserve hasta que baje la temperatura.

2. Pele los dientes de ajo y aplástelos levemente con la hoja de una cuchilla. Coloque las ramas de tomillo y orégano, los dientes de ajo pelados y la pimienta dentro de una botella de vidrio esterilizada.

3. Vierta con cuidado el vinagre tibio con ayuda de un embudo dentro de la botella con las especias, los ajos y la pimienta. Tape herméticamente.

4. Guarde la botella en un lugar oscuro y agite cada tres días. A las tres semanas, el vinagre estará listo para usar. Recomendado para salsas, vinagretas y todo tipo de ensaladas, en especial las de pasta.

Aceite con guindillas

Los aceites especiados duran aproximadamente un año desde su fecha de envasado, aunque si los guarda en el refrigerador, se conservan por más tiempo.

4 frascos de 250 ml.

INGREDIENTES

- 15 guindillas secas
- 1 l. de aceite de oliva extra virgen
- 2 cdas. de granos de pimienta negra
- 1 cda. de hojas de salvia

Incluya en la etiqueta ideas para utilizar este aceite, como omelettes, brusquetas, ensaladas y pastas de verduras.

PREPARACIÓN

1. Corte las guindillas por la mitad. Retire las semillas con ayuda de un cuchillo filoso.

2. Caliente un chorro de aceite de oliva en una sartén y saltee las mitades de guindillas junto con los granos de pimienta.

3. Coloque el aceite en un frasco de boca ancha junto con el salteado de guindillas y algunas hojas de salvia. Tape y deje reposar durante 15 días.

4. Filtre el aceite y colóquelo en botellas. Puede agregar unas guindillas enteras, hojas de salvia y unos granos de pimienta para decorar. Conserve en un lugar fresco y oscuro durante 6 meses. Esta receta le servirá de base para infinidad de aceites, sólo deberá variar los condimentos. Atrévase a probar con laurel, tomillo, orégano, ajos, romero, albahaca o tomates secos.

Queso en aceite

Utilice aceite de buena calidad, aunque incremente el costo del producto. Los consumidores de estas delicadezas, saben recocerlo y están dispuestos a pagar más.

1 frasco de 400 g.

INGREDIENTES

- 1 cda. de pimiento molido
- 1 cda. de pimienta rosa molida
- 1 cdita. de pimienta negra molida
- 1 cda. de orégano picado
- 1 cda. de sal
- 250 g de queso tipo bocconcini
- 1 cda. de hojas de albahaca
- Aceite de oliva extra virgen, cantidad necesaria

Venda más

Incluya en la etiqueta la siguiente recomendación: "cuando el queso se acabe, no tire el aceite que sobró. Utilícelo para condimentar ensaladas, o marinar carnes".

PREPARACIÓN

1. Mezcle bien todas las especias y distribúyalas sobre la superficie de un plato plano.

2. Pase los quesos por la mezcla de especias de manera que toda su superficie quede cubierta.

3. Acomode con cuidado los quesos recubiertos de especias dentro de un frasco esterilizado. Agregue las hojas de albahaca cortadas en finas julianas.

4. Vierta el aceite en el frasco hasta que cubra completamente las bolas de queso y tape. Mantenga refrigerado durante un mes. Etiquete y decore el frasco y la tapa a gusto.

Chutney de mango

Para envasar esta conserva elija un tipo de frasco pequeño ya que, una vez abierto, no es bueno que quede mucho tiempo en el refrigerador.

8-12 frascos de 200 g.

INGREDIENTES

- 2 mangos
- 2 cebollas
- 1 zanahoria
- 1 pimiento rojo
- 2 tazas de vinagre de vino blanco
- 1 cda. de jengibre
- 2 cdas. de azúcar negra
- 1 cdita. de pimienta negra en grano
- 1 limón
- 1 cda. de curry
- 1 cda. de sal

Secreto útil

Elija materias primas de estación. Logrará un excelente producto a un costo bajo.

PREPARACIÓN

1. Pele los mangos, las cebollas, la zanahoria y el pimiento. Córtelos en cubos.

2. Colóquelos en una olla junto con el vinagre y lleve a fuego moderado. Cuando rompa el hervor, baje el fuego y cocine durante 15 minutos.

3. Agregue el azúcar, la pimienta, el jengibre, el limón en rodajas, el curry y la sal. Cocine 30 minutos más, hasta que la mayor parte del líquido haya espesado.

4. Vierta dentro de frascos esterilizados, tape herméticamente. y deje reposar en un lugar fresco y oscuro durante 15 días.

Chutney de manzana

Ideal para acompañar carnes blancas, el chutney es originario de la India. Anímese a combinar diferentes sabores y texturas. Logrará resultados increíbles.

12-16 frascos de 200 g.

INGREDIENTES

- 1 kg. de manzanas verdes
- 1 kg. de peras
- 1/2 kg. de cebollas
- 2 ramas de canela
- Jugo de 1 limón
- 1 l. de vinagre de sidra, o de manzana
- 2 tazas de azúcar morena
- 1 cda. de semillas cardamomo
- 1 cda. de sal

El chutney es un excelente acompañamiento para carne de cerdo y de pollo.

PREPARACIÓN

1. Pele las manzanas y las peras. Retíreles el centro con ayuda de un despepitador. Pele también las cebollas.

2. Corte las peras, las manzanas y las cebollas en cubos. Para que la cocción resulte pareja es aconsejable cortar los cubos del mismo tamaño.

3. Coloque los cubos en una olla grande de acero inoxidable. Incorpore el jugo de limón, el vinagre, la canela, el cardamomo y la sal. Lleve a fuego fuerte hasta que rompa el hervor.

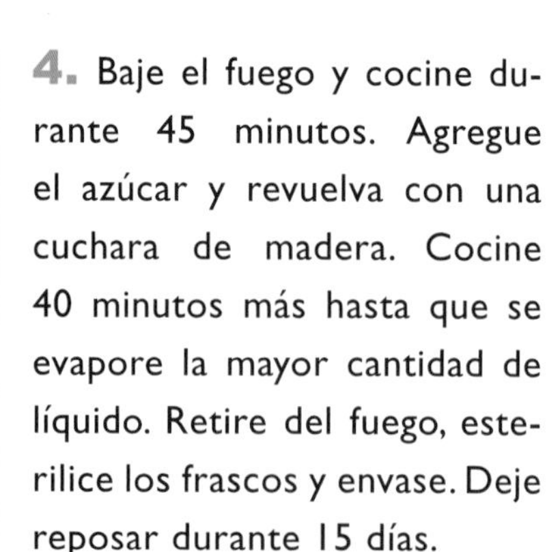

4. Baje el fuego y cocine durante 45 minutos. Agregue el azúcar y revuelva con una cuchara de madera. Cocine 40 minutos más hasta que se evapore la mayor cantidad de líquido. Retire del fuego, esterilice los frascos y envase. Deje reposar durante 15 días.

Carnes y Pescados

Escabeche de pollo

La elección de las materias primas es uno de los pilares del éxito de este escabeche. Recorra los comercios, compare precios y compre ingredientes de la mejor calidad.

2-3 frascos de 400 g.

INGREDIENTES

- 1 pollo
- Sal y pimienta a gusto
- 1 cda. de aceite de oliva
- 2 zanahorias
- 2 cebollas
- 2 dientes de ajo
- 1 taza de vino blanco
- 1 taza de vinagre
- 1 taza de aceite
- 1 cdita. de pimienta negra en grano
- 1 cdita. de curry
- 1 hoja de laurel
- 1 limón

PREPARACIÓN

1. Corte el pollo en 8 presas, retire la piel y condimente con sal y pimienta. Caliente el aceite de oliva en una sartén y dore las presas de pollo de ambos lados. Retírelas y reserve.

2. Pele las zanahorias, los ajos y las cebollas. Corte las primeras en rodajas y las cebollas en aros. Agregue las verduras cortadas a la sartén y cocine hasta que las cebollas estén tiernas.

3. Coloque el pollo y las verduras en una olla e incorpore el vino, el vinagre y el aceite junto con la pimienta, el curry y el laurel. Cocine durante 40 minutos.

4. Retire del fuego y saque los huesos del pollo con mucho cuidado. Coloque los trozos de pollo deshuesado junto con las verduras y los condimentos en frascos esterilizados. Reserve en un lugar fresco y oscuro.

Sardinas en aceite

La elección del aceite es esencial, porque altera el sabor de las conservas. No a todo el mundo le agrada el aceite de oliva. Prepárelas también en aceite de maíz.

4 frascos de 400 g.

INGREDIENTES

- 500 g. de sardinas
- Sal fina, a gusto
- 2 cdas. de aceite
- Orégano, a gusto
- Pimienta, a gusto
- Aceite de oliva, cantidad necesaria

El pescado debe ser fresquísimo. Elija cuidadosamente a sus proveedores, sobre todo de productos de mar. Evitará dolores de cabeza

PREPARACIÓN

1. Para limpiar las sardinas, retire las tripas, la cabeza, la cola y las escamas. Lave muy bien con abundante agua fresca.

2. Abra las sardinas por el lomo y retire todas las espinas con sumo cuidado.

3. Condimente las sardinas limpias con abundante sal y deje escurrir durante 30 minutos sobre un colador.

4. Caliente el aceite de oliva en una sartén. Fría las sardinas en el aceite caliente durante 2 minutos de cada lado. Escurra el exceso de aceite ubicándolas sobre papel de cocina. Coloque las sardinas fritas dentro de un frasco previamente esterilizado. Agregue la pimienta y el orégano y cubra con un buen aceite de oliva. Tape herméticamente el frasco y reserve en un lugar fresco y oscuro.

1

Mejillones en aceite

Esta preparación es especial para integrar una tabla de mariscos. Prepárela en dos versiones: una con páprika y otra con chile picante. Al diversificar ganará clientes.

3-4 frascos de 400 g.

INGREDIENTES

- 1 kg. de mejillones
- 1 diente de ajo
- 1 vaso de vino blanco
- Pimienta, a gusto
- 1 cda. de páprika
- 2 cdas. de perejil
- Aceite de oliva, cantidad necesaria

Secreto útil

Para asegurarse de que no tengan arena, sumérjalos en agua y déjelos en remojo una hora. Cambie el agua varias veces y lávelos bien.

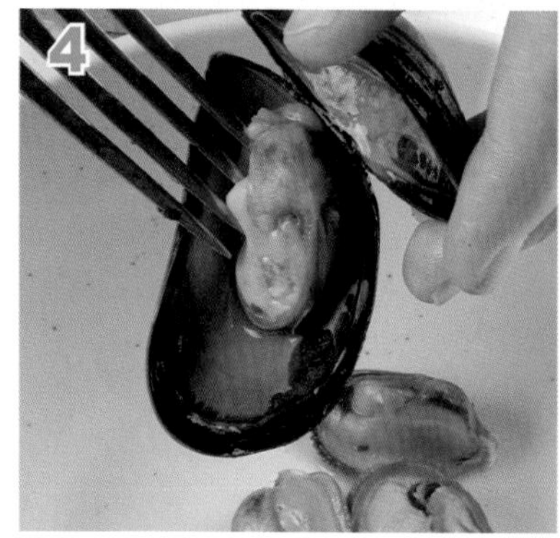

PREPARACIÓN

1. Lave los mejillones con abundante agua y límpielos bien utilizando un cepillo. Descarte todos aquellos que estén rotos o se encuentren abiertos.

2. Pique el ajo finamente y colóquelo en una olla bien grande junto con los mejillones limpios, el vino blanco, la pimienta, la páprika y el perejil.

3. Tape la olla y lleve a fuego fuerte durante 3 minutos. Retire del fuego, destape con cuidado para no quemarse con el vapor de agua y descarte aquellos mejillones que no se hayan abierto.

4. Con la ayuda de un tenedor, remueva los mejillones abiertos de sus valvas. Con cuidado de que no se rompan, colóquelos dentro de frascos previamente esterilizados, cúbralos con aceite y tape. Reserve en un lugar fresco y oscuro.

Salmón en aceite

Esta conserva es ideal para servicios de catering, restaurantes y eventos. Incluya fotografías en su catálogo, resulta especialmente atractiva.

4-6 frascos de 400 g.

INGREDIENTES

- 8 cdas. de azúcar morena
- 8 cdas. de sal marina
- 1 cda. de eneldo
- 1 cda. de pimienta
- 1 kg. de filete de salmón rosado
- Aceite de oliva, cantidad necesaria

PREPARACIÓN

1. Coloque el azúcar, la sal marina, el eneldo picado y la pimienta en un tazón. Vierta la mitad de la mezcla anterior en una fuente de vidrio. Apoye el salmón sobre ella y cubra toda la superficie con la mitad restante, cuidando que quede todo bien cubierto.

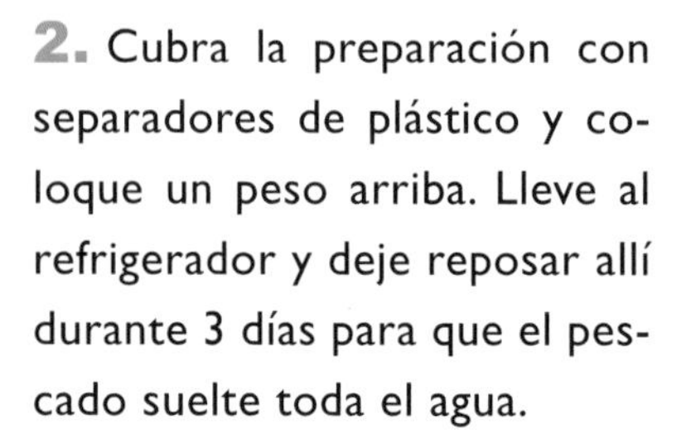

2. Cubra la preparación con separadores de plástico y coloque un peso arriba. Lleve al refrigerador y deje reposar allí durante 3 días para que el pescado suelte toda el agua.

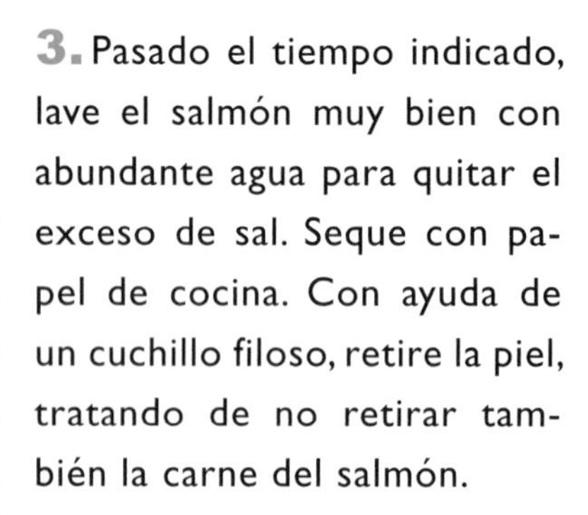

3. Pasado el tiempo indicado, lave el salmón muy bien con abundante agua para quitar el exceso de sal. Seque con papel de cocina. Con ayuda de un cuchillo filoso, retire la piel, tratando de no retirar también la carne del salmón.

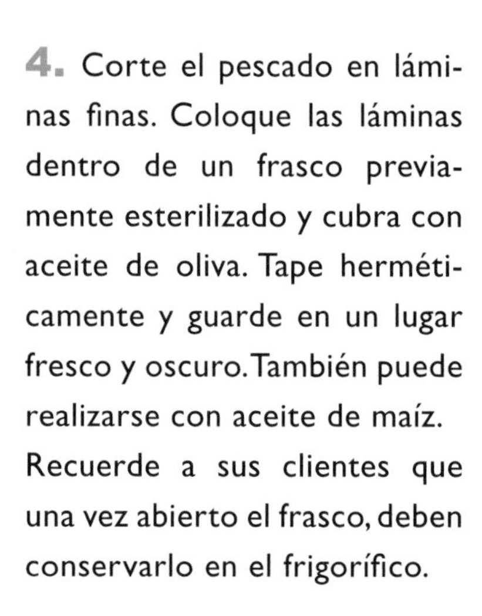

4. Corte el pescado en láminas finas. Coloque las láminas dentro de un frasco previamente esterilizado y cubra con aceite de oliva. Tape herméticamente y guarde en un lugar fresco y oscuro. También puede realizarse con aceite de maíz. Recuerde a sus clientes que una vez abierto el frasco, deben conservarlo en el frigorífico.

1

2

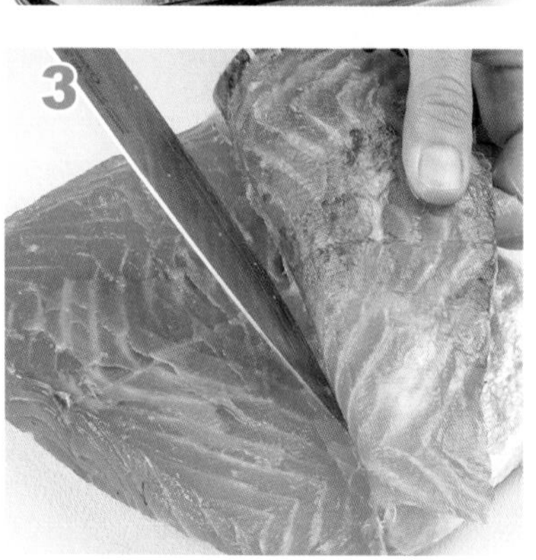
3

4

La Empresa en Casa

Licores

Arándanos en vodka

Hoy en día, el arándano es un fruto de moda y, por lo tanto, muy cotizado. Téngalo en cuenta a la hora de calcular sus costos y decidir el precio final.

2 frascos de 250 ml.

INGREDIENTES

- 200 g. de arándanos frescos
- 50 g. de azúcar
- 50 g. de miel
- 100 c.c. de vodka

Secreto útil

Esta receta también se puede realizar con cerezas. Si quiere otorgarles a las cerezas una terminación diferente, déjeles los cabos.

4

PREPARACIÓN

1. Con la ayuda de una varilla de metal con punta, retire el hueso a los arándanos, cuidadosamente, evitando que se rompan o desarmen.

2. Coloque una capa de arándanos deshuesados en un frasco de vidrio limpio de boca ancha, con tapa. Agregue una capa de azúcar y otra de miel.

3. Repita el procedimiento hasta completar todos los ingredientes. Tape el recipiente y agite para mezclar bien.

4. Vierta el vodka, con cuidado, sobre la mezcla de arándanos, azúcar y miel. Tape y agite para integrar todos los ingredientes. Deje macerar en un lugar fresco y oscuro durante 20 días. Durante este período debe girar y agitar levemente el frasco para que toda la fruta quede bien impregnada.

Licor de chocolate

La maceración con alcohol etílico es clave. Mueva la preparación todos los días para que no se deposite en el fondo del recipiente, y todos los ingredientes se integren.

2-3 frascos de 250 ml.

INGREDIENTES

- 150 g. de chocolate semiamargo
- 400 g. de azúcar
- 500 c.c. de agua
- 400 c.c. de alcohol fino de 80°
- 1 cdita. de esencia de vainilla

Esta misma receta puede realizarse con chocolate blanco. Esto le permitirá innovar y sorprender a sus clientes.

PREPARACIÓN

1. Ralle el chocolate con ayuda de un rallador manual. Para mayor comodidad, también puede rallarlo utilizando el procesador de alimentos.

2. Combine el chocolate, el azúcar, el agua y la esencia de vainilla en un recipiente de vidrio o cristal con tapa. Vierta lentamente el alcohol y tape.

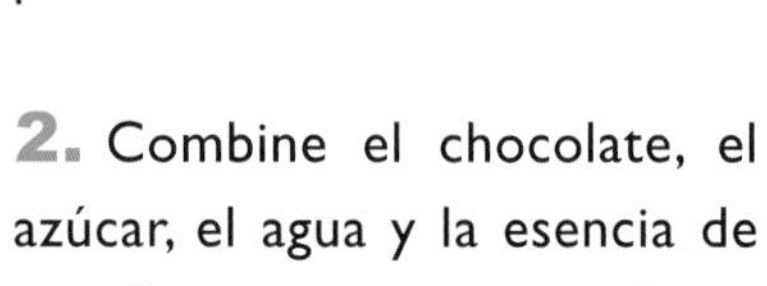

3. Deje reposar la mezcla de chocolate en un lugar fresco y oscuro durante 30 días. Agite el recipiente todos los días.

4. Pase el licor de chocolate por un colador para retirar las impurezas y los grumos. Enváselo, con ayuda de un embudo, en botellas previamente esterilizadas. Tape y etiquete.

También puede agregar a la preparación una rama de canela o cerezas trozadas para dar un toque distinto.

Licor de naranja

En la comercialización de licores es fundamental la elección de la botella y su tapón. Recorra comercios y elija recipientes de buena calidad.

4-6 frascos de 250 ml.

INGREDIENTES

- 1,5 kg. de naranjas (sólo las cáscaras)
- 500 c.c. de alcohol fino de 80°
- 600 c.c. de agua
- 400 g. de azúcar

PREPARACIÓN

1. Lave bien las naranjas con abundante agua y pelelas formando tiras medianas con un cuchillo para fruta bien afilado.

2. Retire la parte blanca de la cáscara con cuidado. Este procedimiento es muy importante ya que de no hacerlo, el licor resultaría demasiado amargo y quedaría muy denso.

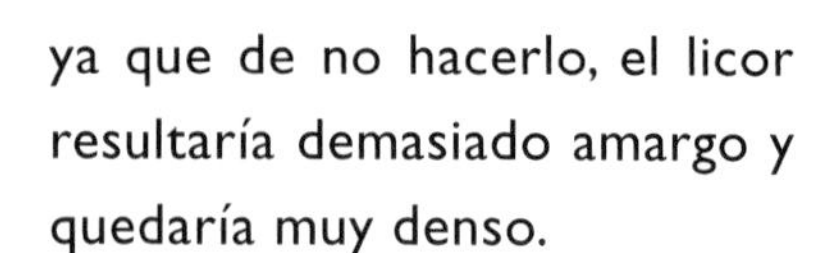

3. Coloque las cáscaras de naranja cortadas en un recipiente de vidrio. Vierta lentamente el alcohol y tape. Deje macerar en un lugar fresco y oscuro durante 20 días. Para hacer un almíbar, coloque el agua y el azúcar en una olla sobre el fuego fuerte. Cuando rompa el hervor, cocine durante 2 minutos. Retire del calor y deje enfriar antes de mezclar.

4. Pase las cáscaras de naranja maceradas en alcohol por un colador. Reserve el líquido obtenido y mézclelo con el almíbar. Envase en una botella previamente esterilizada y deje reposar durante un mes. Si nota que el licor no está translúcido, vuelva a filtrarlo, esta vez con un filtro de tela de papel.

Licor de menta

La maceración con alcohol etílico es clave. Mueva la preparación todos los días para que no se deposite en el fondo del recipiente, y todos los ingredientes se integren.

4-6 frascos de 250 ml.

INGREDIENTES

- 30 hojas frescas de menta
- 1 l. de alcohol
- 1 l. de agua
- 1 kg. de azúcar

Secreto útil

Si pasado el tiempo de reposo del licor éste estuviera turbio, fíltrelo nuevamente. Cuanto más cristalino se vea, más venderá.

PREPARACIÓN

1. Coloque las hojas de menta, previamente lavadas y secas (puede hacerlo con un paño limpio, o un centrifugador de verduras), en un frasco de boca ancha. Vierta el alcohol y deje macerar, tapado, en un lugar fresco durante 15 días.

2. Agite de vez en cuando. Para realizar el almíbar, coloque el agua y el azúcar, en una olla. Lleve a punto de ebullición, baje el fuego y cocine durante 15 minutos. Deje enfriar.

3. Incorpore lentamente el almíbar al alcohol de menta y mezcle bien. Deje reposar.

4. Filtre el licor pasándolo por un lienzo, o colador de tela. Envase en una botella previamente esterilizada, y guarde en un lugar fresco y oscuro. Deje reposar durante 15 días, entonces estará listo para consumir.

La Empresa en Casa

El negocio de
hacer y vender
productos de
Conservas

Primera Parte
Cómo producir conservas para vender

Antes de comenzar la producción de conservas en serie es imprescindible organizar el espacio en el que se va a trabajar, y asegurarse de contar con todos los elementos necesarios. A continuación, hallará detalles que le resultarán de utilidad en esta etapa.

En estas páginas, le ofrecemos información sobre los aspectos que deberá considerar antes de iniciarse en la producción y comercialización de las conservas artesanales.

Qué infraestructura se necesita

• **El lugar de trabajo.** Puede usar su propia cocina, sólo es necesario que esté bien iluminada y cuente con provisión de gas y agua. Se recomienda que las paredes del espacio en el que va a trabajar estén recubiertas por azulejos o un material que no sea absorbente de grasas y olores. El piso debería tener un leve declive, para facilitar la limpieza, y las luces deberán ser blancas.

Lo ideal será disponer de una mesa de trabajo (de mármol o de acero inoxidable) de, al menos, 1 m. de largo, y estanterías donde ordenar y tener a mano las herramientas que va a utilizar. A medida que su negocio vaya creciendo, podrá pensar en diseñar un lugar especial y exclusivo para trabajar (ya sea dentro de su casa o no).

• **Espacio para almacenar.** Organice un espacio donde pueda instalar un refrigerador, para guardar y conservar las frutas y hortalizas, y una alacena, o estantes, para los aceites, el azúcar, las especias y otros ingredientes.

• **Depósito.** Necesitará un lugar para almacenar y dejar reposar ciertas preparaciones, así como guardar las conservas ya realizadas hasta su venta. Debe ser un lugar oscuro, fresco y seco. Piense en instalar una buena estantería para guardar sus frascos sin tener que apilarlos.

• **Sector de empaque y administración.** Disponga de un lugar para el etiquetado y el empaque. Utilice estanterías para tener ordenados y a disposición los elementos que utilizará como envoltorio (etiquetas, película plástica o celofán, etc.). En ese mismo espacio puede realizar la parte administrativa de su negocio (compra de insumos y comercialización); un escritorio o mesa, un par de sillas y un teléfono serán suficientes para empezar. Con el tiempo, trate de conseguir una computadora, le será de gran ayuda para organizar este tipo de trabajo.

Cómo elegir las herramientas y las materias primas

Para saber qué comprar, el primer paso será definir qué tipo de conservas desea producir: merme-

ladas, jaleas, frutas en almíbar, chutneys, aderezos, escabeches, licores... Las opciones son múltiples. Lo mejor será que comience con dos o tres variedades de conservas y, a medida que su negocio vaya creciendo, podrá incorporar nuevas recetas. El costo de los ingredientes variará en función de la conserva que usted realice. No es lo mismo pensar en un escabeche de verduras, que en una confitura de berries o frutos rojos. De todas maneras, tenga en cuenta que en el caso de alimentos salados, siempre va a utilizar sal, vinagre y aceite, y en el de los dulces, deberá pensar en un kilogramo de azúcar por kilogramo de la fruta que vaya a procesar.

Los ingredientes

Antes de empezar a trabajar, busque un proveedor que le ofrezca hortalizas y frutas de buena calidad, y al por mayor. En general, se compran en los mercados de frutos, o bien a través de las cooperativas de agricultores, en cajones de 5, 10 y hasta 20 kilogramos.

Si desea dedicarse a la elaboración de conservas orgánicas, tendrá que corroborar que tanto frutas como verduras hayan sido cultivadas, cosechadas y envasadas, siguiendo los códigos y requerimientos establecidos para tal fin.

Los ingredientes básicos que se utilizan en casi todas las recetas son:

- **Aceite.** Según la receta se usará de maíz, de girasol, de soja, de oliva, o mezcla. En los supermercados, encontrará envases de hasta 5 litros, pero para reducir costos, siempre le convendrá adquirirlos al por mayor, en envases de 10 o **20 litros. El litro de aceite de oliva tiene un costo aproximado de USD$ 7, en tanto que el envase de 5 litros de girasol cuesta entre USD$ 6 y USD$ 7.**

- **Vinagre.** Podrá utilizar de alcohol, de manzana o de vino. El de alcohol aporta un mayor grado de acidez a las conservas; el de manzana es el que se usa para obtener las conservas más suaves. En todos los casos, el litro tiene un costo aproximado de USD$ 1.

- **La pectina** es una sustancia que se halla en la parte interna de la corteza de ciertos frutos, y que funciona como espesante o gelificante cuando se encuentra en un medio ácido o en presencia de azúcares.

- **El agar-agar** es otro producto natural que cumple esta función. Se extrae de varias especies de algas rojas.

- **Sal.** No todas las recetas llevan este condimento, que se puede reemplazar por sal marina, o sal de ajo. Si bien en el mercado existen sales sin cloruro de sodio (recomendadas para los hipertensos), suelen ser demasiado amargas para cocinar conservas. El kilogramo de sal cuesta alrededor de USD$ 0,70.

• **Azúcar.** Conservante clave para los dulces y las mermeladas. En caso de que usted decida elaborar conservas orgánicas deberá utilizar un azúcar orgánica. La que se emplea con más frecuencia es refinada. Esta última se consigue desde USD$ 0,50 el kilo, en tanto el costo de la orgánica varía entre USD$ 1 y USD$ 1,50.

PRECIOS DE REFERENCIA

Albahaca fresca, kg	USD$ 6
Zanahoria, kg	USD$ 0,60
Berenjena, kg	USD$ 0,55
Zapallitos/zucchini, kg	USD$ 1
Tomate, kg	USD$ 1
Pera, kg	USD$ 1,50
Durazno, kg	USD$ 1,50
Ciruela, kg	USD$ 2

En función de la receta, se podrán utilizar especias como ajo, perejil, orégano, estragón, pimentón, ají molido, etc. El precio cambia cuando se trata de especias orgánicas, pero en general los 100 g. cuestan entre USD$ 1 y U$S 1,50. Lo mismo sucede con elementos como la miel o la esencia de vainilla.

Las herramientas

En los bazares, o comercios especializados, encontrará una gran variedad de elementos y utensilios para su tarea. Varían considerablemente de precio, según la marca, capacidad y calidad. Las herramientas más comunes son:

• **Recipientes de plástico de 10 litros.** Como baldes o palanganas. Los precisará para limpiar y manipular grandes cantidades de frutas u hortalizas. Su costo es desde USD$ 3.

• **Ollas.** Las de acero inoxidable son las más recomendables. Evite materiales reactivos que puedan afectar el color y el sabor de sus conservas. Es importante que sean fuertes y gruesas para que sus preparados no se peguen en el fondo. El costo de una olla de 10 litros parte de los USD$ 20.

• **Esterilizadores.** Aunque para comenzar le bastará con ollas y agua hirviendo, trate de conseguir un esterilizador. En el mercado encontrará muchas opciones (eléctricos, para microondas, etc.). Según la marca y modelo se consiguen desde USD$ 20. También puede utilizar una olla a presión: en las más grandes entran hasta 9 frascos y se consiguen desde USD$ 50. Si su negocio crece, tendrá que pensar en un equipo más grande y sofisticado.

A modo de referencia, piense que con 1 kg. de azúcar podrá producir 1,75 kg. de dulce. Si usted utiliza 10 kg. de azúcar por día, empleará 200 kg. al mes y producirá 350 kg. de mermelada. Los frascos de mermeladas o dulces habitualmente son de 500 g, por lo tanto tendrá que esterilizar 700 frascos mensuales (35 al día).

• **Termómetro.** Es una herramienta fundamental para controlar la temperatura de sus dulces. En las distribuidoras del ramo, se consiguen termómetros especiales que pueden medir temperaturas mayores a los 150 °C. Su costo parte de los USD$ 6.

• **Tabla y cuchilla afilada.** Lo más cómodo es trabajar con tablas y cuchillas grandes. De esta manera, no tendrá que estar pendiente de los desbordes. En los dos casos su costo rondará entre USD$ 3 y USD$ 5.

• **Balanza.** Sirve para pesar los ingredientes y calcular las proporciones exactas. Pueden ser tradicionales o digitales. Estas últimas resultan muy precisas, pero son bastante más costosas y suelen durar menos. El costo de una tradicional parte de los USD$ 8.

• **Refractómetro (o sacarímetro).** Si decide elaborar dulces, deberá usarlo para medir los grados Brix, que representan el porcentaje de sacarosa disuelta en el líquido; le permitirá establecer el punto justo de sus mermeladas. Su costo es de alrededor de USD$ 25,

• **Cucharas de madera.** Son indispensables para revolver y mezclar sus preparaciones; las encontrará desde USD$ 1,50 cada una.

Los envases

Tendrá que elegir frascos o botellas que por su forma, tipo de tapa y condiciones, se adapten al producto que deberán contener. Se compran en casas de envases o elementos de vidrio. Si adquiere mayor cantidad, los precios disminuirán significativamente. Aquí le damos precios de referencia de los más comunes:

PRECIOS DE REFERENCIA

Botella cuadrada alta x 500 cc.....USD$ 0,50
Botella cuadrada alta x 250 cc.....USD$ 0,40
Tapa de 31 mm a rosca..................USD$ 0,07
Tapón de corcho,..........................USD$ 0,12
Tarro x 200 cc...............................USD$ 0,30
Tapa axial.......................................USD$ 0,15
Tarro para dulce x 500 cc.............USD$ 0,50
Tarro cilíndrico x 1000 cc,
con tapa plástica.............................USD$ 0,80

Secretos de la producción comercial

• Difícilmente podrá competir en precio con las distribuidoras mayoristas, por lo que sus conservas deberán diferenciarse por la calidad, la condición de artesanales y por el valor agregado que pueda ofrecer a sus clientes.

- Aproveche las frutas y verduras de estación, y busque alternativas creativas.
- Incluya sabores y recetas de otros países y así, logrará una variada y atractiva carta de productos para ampliar la clientela.
- Tome nota de todos los pasos, cantidades y proporciones que haya utilizado en la preparación. Esto le permitirá sistematizar su producción y calcular el costo final de cada conserva.
- Organice bien sus horarios, y destine una parte del día a visitar a sus potenciales clientes: dietéticas, almacenes, negocios de regalos y "productos gourmet", hoteles, restaurantes, etc.

Cuidados especiales

- Asegúrese de que sus materias primas no provengan de áreas contaminadas. Almacénelas con cuidado y lávelas bien antes de cocinarlas.
- Elija frutas y hortalizas frescas, sin golpes ni magulladuras, y de tamaños similares. Si están demasiado verdes, perderán el sabor al cocinarlas, y si están muy maduras, pueden romperse durante la cocción.
- Trate de mantener separados los alimentos crudos de los cocidos. Nunca mezcle carnes y verduras. Y utilice tablas y cuchillas diferentes para cada grupo, para disminuir los riesgos de una "contaminación cruzada".
- Respete las temperaturas y tiempos de cocción. Es la mejor manera de evitar que sus conservas se echen a perder.

La limpieza

Tanto el espacio en el que va a trabajar como los utensilios que utilice deberán estar en perfectas condiciones de higiene. Pero usted también deberá prepararse antes de trabajar.

- Ya sea para cocinar o para realizar cualquier tarea de limpieza, utilice siempre agua potable.
- Lávese bien las manos (de ser necesario, cepíllelas) y elimine el esmalte de las uñas, para evitar que se descascare y se incorpore accidentalmente a su preparación.
- Recójase el pelo y cubra su cabeza con un gorro o pañuelo para evitar que caigan cabellos sobre los alimentos.
- Si es posible, use guantes y tapabocas.
- Quítese alhajas, relojes y otros elemento que pueda desprenderse y caer sobre los alimentos.

PAPELES EN REGLA

Como se trata de alimentos, sus conservas deberán contar con todas las certificaciones que establezca la autoridad sanitaria de su lugar de residencia. Los controles suelen ser muy estrictos, y ningún comerciante querrá arriesgarse a ofrecer productos que no cuenten con los permisos necesarios. Contáctese con las dependencias oficiales correspondientes, y averigüe sobre los requisitos para comercializar las conservas que va a elaborar.

Enfermedades transmitidas por alimentos

Las Enfermedades Transmitidas por Alimentos (ETA) son las que se desarrollan como consecuencia de la ingesta de alimentos, o agua contaminados con toxinas (intoxicación), parásitos (diarrea provocada por E. Coli, salmonelosis, brucelosis, botulismo, cólera, triquinosis, entre otras), hongos, virus o bacterias.

Para no correr riesgos, debe ser muy cuidadosa durante todo el proceso de elaboración de las conservas. La contaminación puede producirse en las diferentes etapas: la cocción, la esterilización o el envasado. Para evitarla, puede seguir estas sencillas instrucciones:

- Si debe dejar la preparación en algún momento, cúbrala; evitará que se contamine. De todos modos, no conviene cocinar con demasiada anticipación.
- Organice la producción para que no queden tiempos "muertos" desde el comienzo hasta el final de la elaboración de sus conservas. De este modo evitará las interrupciones.
- Una vez terminada su elaboración, evite exponer sus conservas a temperaturas elevadas.

Etiquetado

Cuando sus conservas estén listas, envasadas y esterilizadas, deberá rotularlas. Procure que el diseño de sus etiquetas esté relacionado con su marca y con la presentación y la imagen que quiera darles a sus productos.

Tenga en cuenta que en ellas deberá incluir determinada información:

- Marca.
- Descripción del producto.
- Códigos y números de habilitación y registro.
- País de origen.
- Nombre o razón social y dirección postal del elaborador.
- Tipo de elaboración.
- Ingredientes y líquido conservante (se ordenan de mayor a menor, según el peso).
- Composición nutricional.
- Peso neto.
- N° de lote (para poder identificar fácilmente las partidas, puede ser el mismo que la fecha de la elaboración).
- Fecha de elaboración y vencimiento.
- Advertencias (como "Una vez abierto, conservar en el refrigerador", "Consumir preferentemente antes de -una fecha determinada", etc.).

Segunda Parte
Cómo elaborar su "plan de negocio"

Para planificar su negocio tal como lo hacen los empresarios exitosos, conviene pensar y esbozar por escrito un borrador de un "plan de negocio". Esto le servirá para detectar los posibles inconvenientes antes de que aparezcan.

No importa si comienza realizando conservas en su cocina y con los utensilios que tiene en este momento, le convendrá planificar su negocio. Y la manera más usual de hacerlo es armando un plan de negocio. Se trata de un borrador detallado, por escrito, donde deberá evaluar todos los aspectos de su proyecto: sus expectativas, las características de sus productos, a qué clientes apunta, sus objetivos comerciales y los tiempos estimados para lograrlos.

No crea que los planes de negocio son sólo para las empresas grandes: el hecho de sentarse a pensar y escribir cómo va a ser su negocio le permitirá visualizar si su idea es viable, y cuál es la perspectiva de crecimiento a mediano y largo plazos. Además, le dará la posibilidad de reflexionar sobre su proyecto y cómo ponerlo en marcha.

En otras palabras, este plan la ayudará a definir exactamente el producto (las diferentes conservas que puede hacer), la competencia que tendrá, cómo organizará las ventas, qué requisitos de operación y producción deberá cumplir, y cómo va a realizar la administración.

Lo que hay que saber para armar el "plan de negocio"

• **Productos.** Debe describir lo más exactamente posible qué tipo de conservas desea realizar y vender (dulces, chutneys, licores, escabeches), y cuáles serán sus beneficios desde la perspectiva del cliente (venta por mayor y menor, variedad de sabores, recetas regionales, presentaciones originales para regalos, etc.).

• **Competencia.** Analice quién será su competencia directa (otros fabricantes de conservas) e indirecta (los fabricantes de alimentos artesanales de otro tipo pero de un valor aproximado al de sus productos). Estudie las estrategias de ventas y precios, que aplican sus competidores.

• **Ventas y mercadeo.** Una de las claves para tener buenas ventas es conocer a sus clientes, saber dónde están, qué les gusta, qué necesitan y cuáles son sus expectativas. Al identificar estos factores, puede desarrollar una estrategia de ventas para entender y satisfacer sus necesidades. En cuanto a los precios, deberá definir si venderá más barato que la competencia o más caro, y en ese caso, qué valor diferencial ofrecerá a sus clientes.

• **Requisitos de operación.** Estudie qué seguros debe contratar, los posibles acuerdos de alquiler o renta, la certificación de organismos de salud -un aspecto clave a la hora de comercializar alimentos- y otros aspectos legales u operativos para hacer funcionar su negocio.

• **Producción.** Investigue cuál es el equipo necesario para elaborar conservas. Analice y describa el proceso de producción y entrega de sus conservas.

• **Administración.** Escriba un presupuesto realista, determinando la cantidad de dinero que va a necesitar, para comenzar el proyecto (inversión o costos iniciales), y la cantidad necesaria para mantenerlo funcionando (costos de operación o de funcionamiento). También deberá preparar una proyección de ventas: cuánto estima vender por mes o año, y cuánto necesita para cubrir sus costos y obtener una ganancia.

Algunos consejos para armar su plan

El plan de negocios debe ser un resumen conciso de nuestra idea de negocio, de cómo vamos a llevar a cabo dicha idea, y de cómo vamos a mantenerla por un determinado tiempo.

• Defina plazos razonables. Es mejor establecer objetivos a corto plazo, y modificar el plan a medida que avanza su proyecto (a menudo la planificación a largo plazo se torna imposible de cumplir: imprevistos, "el día a día". etc).

• Sea muy prudente al determinar cuál es la inversión necesaria para comenzar, así como los plazos, ventas y ganancias que obtendrá.

• Piense de antemano qué hará en caso de enfrentarse a dificultades de tipo comercial.

• Trate de no depender económicamente de su proyecto. Los negocios toman un tiempo antes de dar ganancias. Por lo menos durante el primer año, debe asumir que para que su negocio crezca, tendrá que reinvertir todo lo que gana (si es que no tiene pérdidas).

• Antes de comenzar su proyecto, trate de trabajar junto a otra persona que elabore conservas o, al menos, converse con la mayor cantidad posible de especialistas en el tema. Puede ser la mejor forma para aprender (a veces hay una gran diferencia entre su concepto de un buen negocio y la realidad).

Tercera Parte

Cómo fijar el precio de sus productos

La correcta fijación del precio es otra clave fundamental para el éxito de cualquier negocio. Si cobramos demasiado poco, no alcanzaremos a cubrir nuestros gastos; y si cotizamos demasiado alto, nuestro producto será invendible. Aquí le explicamos cómo calcular el precio justo.

Para determinar el precio de sus conservas artesanales, primero debe calcular de manera precisa sus costos mínimos (fijos y variables), y definir cuántos kilogramos o unidades de cada producto necesitará vender para cubrirlos. También debe determinar en cuánto tiempo quiere recuperar el dinero que invirtió en instalarse y realizar el trabajo. Por otra parte, es indispensable analizar el valor de mercado: lo que cobran otros proveedores de conservas iguales o similares a las que usted está ofreciendo. Considere cuánto quiere ganar por su "mano de obra". Si ofrece algo muy especializado, podrá exigir un pago acorde. Éste es, además, el momento de pensar en la forma de pago, ¿cobrará sólo en efectivo o aceptará que le abonen en cuotas o varios días después de entregar sus productos?

Lo que hay que saber para fijar el precio

A veces parece difícil ponerle precio a un producto artesanal, como las conservas que usted realizará. Sin embargo, puede ser sencillo si tiene en cuenta los siguientes aspectos:

- **Los costos fijos**

Son ítems que deberá abonar indefectiblemente, sin importar la cantidad de conservas que venda, sólo por mantener funcionando la estructura de trabajo. Por ejemplo:

- La renta del lugar donde trabaje (si es que debe rentarlo).

- Los diferentes gastos que genera el espacio (impuestos municipales, el mínimo de luz, gas, etc).

- El pago de impuestos que dicta la ley (el costo fijo para mantener las habilitaciones sanitarias, pagos mensuales al organismo recaudador, impresión de facturas, etc.).

Estos costos se pagan, generalmente, en forma mensual, y su objetivo será recuperar un porcentaje de ellos con la venta de cada frasco de conservas, para "amortizar" el gasto.

En una primera etapa lo ideal es reducirlos lo máximo posible. Por ejemplo, puede comenzar utilizando un sector de su vivienda (el garaje, la cocina o un cuarto en desuso), o tratar de conseguir un espacio prestado.

Cuando utilice un lugar ya habitado, tome nota de los gastos de los servicios (luz, teléfono, gas, agua) antes y después de comenzar, para saber lo más exactamente posible qué parte de ese costo debe atribuir a su trabajo.

Aunque crea que al comienzo podrá manejarse sin pagar impuestos o realizar los aportes legales, piense que es un requisito indispensable para operar de acuerdo con las normativas vigentes, y que ese pago le permitirá "descontar" el componente impositivo de las compras (de lo contrario, éste pasará a formar parte del costo final). Además, "estar en regla" le permitirá realizar compras al por mayor.

Por otra parte, algunos clientes sólo le comprarán mercadería, si puede entregarles una factura por su pago.

• **Los costos variables**

Son aquellos gastos que debe realizar para la elaboración concreta de sus conservas, que se van modificando según la cantidad que venda. Por ejemplo:

• Las materias primas y los utensilios para elaborar conservas.

• La mano de obra.

• La comercialización, que incluye:

a. Papelería comercial (su tarjeta, las facturas, remisiones, etc.). Puede comenzar sin ella, pero a medida que el proyecto crezca, la necesitará.

b. Empaque: embalajes para las conservas frascos de vidrio o de plástico, la impresión de etiquetas, cajas para su traslado.

c. Gastos de promoción: todo lo que invierta en difundir sus conservas (folletos o catálogos, volantes, el salario de quien los va a distribuir, avisos en algún diario o revista, página web, etc.).

d. Servicios: luz, teléfono, gas y agua, lo que consuma de más sobre el abono (el excedente).

e) Venta: si tiene vendedores, en este punto debe incluir sus honorarios (básicos y comisiones).

f. La entrega: combustible, seguro del transporte, estacionamientos, etc. (tanto si la tarea la realiza usted con su vehículo, como si luego contrata a un ayudante con una moto, por ejemplo).

• **Sus honorarios**

(el costo de mano de obra)

¿Cuánto desea obtener como pago por su tiempo y su trabajo? Evalúe su capacitación y experiencia previa, su dedicación al cliente (por ejemplo, si su negocio no le permite realizar otros trabajos), su imagen profesional, y cualquier otro aspecto que haga a su dedicación personal a la tarea.

Si tiene recetas originales o se especializa en alimentos orgánicos, por ejemplo, podrá pedir un valor diferencial. Una buena forma de estimar la cifra es determinar un precio por hora de trabajo, y multiplicarlo por el tiempo que le insumirá realizar el pedido (desde que comienza hasta que lo entrega). Por otro lado, usted puede variar ese número cuando reciba un encargo más importante, si estima que esto la ayudará a cubrir una mayor cantidad de costos fijos y variables. Determine el valor mínimo que aceptará por cada conserva. Esto le permitirá negociar con mayor flexibilidad, y evaluar si le conviene trabajar con una ganancia menor, ya sea para conseguir o mantener un cliente, o como estrategia de mercadeo.

• **Forma de pago**

En este aspecto deberá tener en cuenta varias alternativas, ya que cada canal de comercialización tiene una modalidad de pago propia y hay que adaptarse a ella. En principio, en términos de venta se distinguen tres grandes grupos:

• La venta personal. Las conservas que usted vende directamente al consumidor final, ya sea en un puesto, en ferias o mercados, a través de su sitio en la red, o en reuniones de familiares o amigos, etc. En este caso, las ventas serán únicamente al contado, es decir, cada producto se abonará en el momento y en efectivo.

• La venta al por mayor. Hay clientes que, regularmente, compran una determinada cantidad de conservas para revender, y después ofician de distribuidores. Otros -como hoteles, restaurantes, servicios de catering, por ejemplo- podrán hacerle pedidos especiales. En estos casos, es posible que quieran abonarle con cheques (para ello debe contar con una cuenta bancaria para poder depositarlos, o bien asegurarse de que puede utilizarlos para pagar servicios o mercadería). También puede ser que se manejen con pagos diferidos (ya sea en cheque o en efectivo, a 30 y hasta 60 días después de la entrega de las conservas) o incluso, en cuotas. Evalúe si esta opción le resulta rentable, o si en esta etapa del negocio, usted necesita el dinero para reponer materias primas.

• La venta a través de terceros. En dietéticas, almacenes, locales de "productos gourmet", de artículos regionales, o a través de corredores o

distribuidores; tenga en cuenta que en el rubro gastronómico los plazos de vencimiento pueden transformarse en una dificultad, pero una alternativa es utilizar el sistema de venta en consignación, al menos al principio. Se trata de dejar una cantidad de productos en un determinado local, y cobrarlos a medida que se van vendiendo. Si no llegaran a comercializarse en un plazo previamente acordado, el comerciante se los devolverá.

Es muy importante ser riguroso con el seguimiento de los productos dejados en consignación, para cobrar a medida que se van vendiendo (y para que no se venzan los plazos recomendados para la venta).

Ésta es una buena manera de iniciar una relación comercial. En definitiva, el dueño del comercio no sabe cómo se van a vender los productos que usted elabora, y este sistema les permitirá a ambos medir los tiempos de reposición, ver cuáles son los productos que tienen mayor demanda, etc.
Recuerde que los revendedores recargarán el precio de sus conservas, para obtener una ganancia. Quizá, le convenga rebajar sus precios, para que el producto no llegue a manos del cliente a un precio demasiado alto.

• El valor de mercado

Averigüe y compare el precio de conservas similares a las que usted va a realizar en la zona en la que piensa comercializarlas. Los precios que le damos a continuación son sólo de referencia:

PRECIOS DE REFERENCIA

Mermelada tradicionales por 500 g,
desde USD$ 2,50

Mermeladas dietéticas por 300 g,
desde USD$ 3

Frutas en almíbar por 500 g,
desde USD$ 3

Frutos rojos confitados por 300 g,
desde USD$ 4

Mostaza con especias por 200 g,
desde USD$ 4

Berenjenas en escabeche por 250 g,
desde USD$ 4

Cebollas en vinagre por 100 g,
desde USD$ 2

Licores artesanales por 250 cc,
desde USD$ 6

Su negocio puede prosperar tanto si se diferencia de sus competidores por el precio (vender más económico y en mayor cantidad) como si lo hace por la exclusividad (vender más costoso y en menor cantidad). En el último caso, sus conservas deberán tener características que el consumidor considera valiosas: por ejemplo, su calidad de orgánicas y naturales, diferentes presentaciones, sabores originales, etc. Finalmente, observe que si la demanda es mayor que la oferta, puede cobrar un precio más alto (y a la inversa).

¿Es mejor vender algo clásico y sencillo, como mermeladas, y a un precio accesible; o conservas sofisticadas a menor cantidad de clientes pero a precios más elevados? Ésta es una pregunta que únicamente usted puede responder, y para eso le será de ayuda realizar una pequeña investigación de mercado. Defina cuidadosamente el target (segmento) al que apunta y luego, podrá elegir las mejores maneras de llegar a él a través de la promoción o publicidad.

Haciendo cuentas

En un ejemplo sencillo, supongamos que usted está elaborando una mermelada de cítricos. Sus costos fijos son de USD$ 40 por mes, mientras que sus costos variables son de USD$ 60 en ese mismo tiempo. Usted decide recuperar el 4 % de estos valores con la venta de cada kilogramo de mermelada, de modo que vendiendo 25 kilogramos al mes cubra los gastos. A esto debe sumar el pago por su mano de obra: supongamos USD$ 1 por cada kilogramo de mermelada.

Costos fijos:..USD$ 1,6
Costos variables:...................................USD$ 2,4
Mano de obra..USD$ 1

Total:...USD$ 5

Quiere decir que para cubrir sus costos y obtener la mínima ganancia esperable por su trabajo, debe vender cada kilogramo de mermelada de cítricos a USD$ 5. Compare sus precios con los de la competencia: si sus conservas no tienen un valor aceptable para el mercado, todavía está a tiempo de analizar sus costos para bajarlos.

UN CASO EXITOSO

Cuando era niña, Ana María Alcaraz observó muchas veces cómo su abuela preparaba berenjenas en escabeche. Esta conserva era tan apreciada por la familia y en todo el barrio, que los "pedidos" fueron obligando a la mujer a multiplicar la cantidad que preparaba por cada tanda.

Ana dejó su empleo en una dependencia municipal, después del nacimiento de sus dos hijos. Y para generar un ingreso propio, decidió elaborar conservas en su casa utilizando aquélla famosa receta, así como otras conservas familiares.

Además de las berenjenas, se animó a probar con chutneys, variedades de pimientos y otras más. A pesar de que sus amigas le compraban en cantidad, cada vez que preparaba algo nuevo, el volumen de ventas apenas le alcanzaba para cubrir los costos. Ana no se animaba a salir a vender, por lo tanto se asoció a una prima, que toda la vida trabajó como vendedora de cosméticos. Se contactaron con la oficina sanitaria de su lugar de residencia y averiguaron todos los requisitos necesarios para comercializar productos gastronómicos. Sistematizaron el proceso de producción y envasado, y produjeron las etiquetas con toda la información que les pedían las autoridades sanitarias.

Empezaron vendiendo en las dietéticas y pequeños comercios del barrio y, con el tiempo, se especializaron en la elaboración de productos regionales, que ahora comercializan en hoteles, tiendas y casas de regalos para turistas.

Para captar nuevos clientes, suelen preparar una bandeja con una degustación de sus productos. La entregan a los responsables de compra de cada local, junto a un folleto en el que detallan las condiciones de producción. Aunque hay clientes con los que manejan plazos de pago de hasta 30 días por grandes compras, prefieren las ventas al contado.

La cocina de la casa de Ana María les quedó chica, por lo que decidieron adaptar el garaje, y están sumando estudiantes de gastronomía para incrementar la producción.

Por otro lado, mediante un crédito, adquirieron una pequeña camioneta, que utilizaron para mejorar el sistema de distribución y recolección de pedidos.

Cuarta Parte
Cómo vender sus conservas

Las estrategias de mercadeo de las grandes empresas también pueden ser aplicadas en un negocio pequeño. A continuación, presentamos algunos de estos lineamientos básicos, y le mostramos cómo puede utilizarlos para planificar la comercialización de sus conservas.

Lo que hay que saber sobre los clientes (análisis FODA)

Antes de ponerse a preparar conservas debe investigar el mercado y definir lo más claramente posible quienes son sus clientes, dónde están, cuáles son sus gustos y necesidades, en qué contexto deciden la compra de un dulce o un chutney y cuánto dinero pueden llegar a gastar en cada producto. Ése va a ser su target (objetivo), su cliente ideal.

Habrá quienes se interesarán en sus productos a partir del precio, otros lo harán desde la exclusividad y, por qué no, desde la filosofía de vida (en caso de que se trate de productos orgánicos, por ejemplo). Cuanto mejor defina al cliente y sus necesidades concretas, más sencillo le resultará determinar qué producto hacer, y cómo vender.

Realice un análisis FODA (son las iniciales de Fortalezas, Oportunidades, Debilidades y Amenazas) de su proyecto, para evaluar objetivamente las condiciones en las que se encuentra. Piense en estos cuatro aspectos con relación a su negocio y sus conservas, para explotar las fortalezas y oportunidades, mejorar las debilidades y conjurar las amenazas. Y tenga en cuenta que los clientes y el mercado van cambiando, por lo que la investigación de mercado no se realiza una sola vez: seguramente, deberá hacer adaptaciones.

Trate de evaluar cuáles son sus habilidades específicas para la tarea.

¿Qué tipo de conservas le salen mejor? ¿Es creativa a la hora de combinar sabores? ¿Su fuerte son los dulces o los salados? ¿Sabe manejar las proporciones para preparar productos de bajas calorías o prefiere no incursionar en ese rubro? Estas preguntas son el punto de partida de cualquier análisis FODA.

• **Caso 1**

Su fortaleza son las mermeladas y dulces. Nada mejor que aprovechar las frutas de estación para disminuir los costos de sus productos y mejorar la rentabilidad del negocio.

Difícilmente podrá competir en precio con las empresas que producen mermeladas a nivel industrial. Ése es, sin duda, su lado débil. Entonces, deberá buscar la oportunidad: por ejemplo, contactarse con establecimientos que prioricen la salud y la calidad de los alimentos, como hoteles, restaurantes, colegios u hospitales, que diariamente sirven una gran cantidad de desayunos y meriendas.
Tendrá que ir haciendo pequeños sondeos para saber: ¿cuáles son los sabores que más se consumen? ¿Prefieren que usted entregue siempre la misma variedad de mermelada o que vaya alternando? ¿Es necesario que desarrolle una línea de dulces light o dietéticos?
Incluso algunos de estos clientes prefieran las porciones de mermelada envasadas en forma individual. Esté preparada para implementar este proceso en caso de que lo soliciten. El no hacerlo podría ser visto como una debilidad por muchos de sus potenciales clientes.
Las mermeladas de cítricos o ciruelas, el dulce de leche, la confitura de frambuesas, la jalea de manzanas y canela, o la mermelada de naranjas amargas son propuestas ideales para desarrollar en este caso.

Enfatice siempre el aspecto artesanal de sus productos.

• **Caso 2**

Si decide seguir la llamada "onda verde" y su fortaleza es cumplir con los principios de la vida sana, puede orientarse a la producción y comercialización de productos 100 % orgánicos. Suelen tener un costo bastante más elevado, pero sus consumidores son muy fieles, y están dispuestos a pagar por la calidad (ésa es su oportunidad).

Los alimentos orgánicos, ya sean cultivos o derivados de animales, son los que no han estado en contacto con productos químicos, como fertilizantes, pesticidas, hormonas, anabólicos, etc. En el caso de los productos elaborados, tampoco se utilizan aditivos o conservantes artificiales.
Si sus conservas cumplen con estas condiciones, puede contactarse con las asociaciones del sector donde le darán una certificación de calidad.

Piense en los duraznos a la vainilla, calabaza en almíbar, las diferentes variedades de chutney y los pimientos asados.

Deberá ser muy cuidadosa para garantizar que sus conservas cumplan con todos los requisitos necesarios, para ser consideradas orgánicas. En este aspecto, cualquier punto gris podría ser considerado una debilidad.
Para generar una buena red de distribución, además de comercializar sus mermeladas en las dietéticas, haga alianzas comerciales con proveedores o corredores que distribuyan otros productos de características similares. Envíe

avisos (y, por supuesto, también sus productos) a los centros de Yoga, institutos dedicados a la vida sana o spas, almacenes, bares y restaurantes naturistas, etc.

Acompañe sus productos de un folleto que destaque las características orgánicas y naturales de sus materias primas, describa en detalle el proceso de elaboración y la composición nutricional de sus conservas.

- **Caso 3**

Hay productos cuya degustación conlleva un valor adicional. Se trata de los regionales, elaborados a base de recetas tradicionales de diferentes pueblos, o aquellos que utilizan materias primas que representan la esencia o la personalidad de un determinado país o región. Conocer estos elementos (y estas recetas típicas) es una fortaleza.

El turismo es hoy una de las industrias que registra mayor crecimiento, y la mayoría de las actividades que se relacionan con ella, tienen una gran oportunidad de progreso. Regularmente se realizan ferias o encuentros de promoción turística, tanto en el ámbito regional (se suelen promocionar los comercios y los prestadores locales), nacional (están representadas cada una de las plazas o áreas del país) e internacional (con stands que reúnen folletos, productos e información de los diversos sectores de un país). Contáctese con los encargados de promoción y difusión de su ciudad o región. Averigüe los requisitos para ser considerada, y poder participar de este tipo de actividades, ya sea mediante degustaciones, o actividades especiales, sumando sus productos a los que se estén comercializando en ese momento. Será fundamental que sus productos estén bien identificados, con un envoltorio atractivo que los diferencie. Prepare folletos y material complementario, de modo que los interesados se lleven la información para volver a contactarla.

Otra opción puede ser ofrecer sus productos en tiendas de recuerdos o souvenirs para turistas, hoteles, agencias de viajes, etc.

> En la venta a turistas podría sumar un folleto con la historia (o la leyenda) del producto que está ofreciendo, y otros datos de interés general como, por ejemplo, información adicional sobre determinado cultivo, su historia y la del destino turístico que representa.

Existen otras alternativas que pueden ayudar a sumar un valor agregado a sus productos para diversificar los posibles canales de venta. Si usted tiene facilidad para la gastronomía en general (y ésta es una fortaleza), evalúe la posibilidad de ofrecer un servicio más completo que incluya la elaboración de tablas o picadas, mesas dulces o saladas para diferentes eventos sociales, o incluso desayunos o meriendas a pedido. Evalúe la posibilidad de asociarse con otra empresaria que se dedique a la elaboración de panes, para complementar la oferta y diseñar una propuesta que se destaque entre las del mercado. También pueden armar sets o canastas que se comercialicen en tiendas "gourmet" o de "delicatessen". Tenga en cuenta la importancia de la presentación cuando complete estos pedidos: una falla en este punto será una potencial amenaza. Puede incluir folletos con recetas, dips o sugerencias.

El dulce de naranja o el dulce de leche son dos productos clave en esta línea. Pero sea original, y anímese a crear mermeladas con los frutos típicos de su región. Pruebe también prepararlos en almíbar. Lo mismo a la hora de combinar especias en sus chutney, o de cocinar los escabeches.

Promoción y publicidad

En esta etapa debe pensar en cómo llegar hasta el cliente que ya definió, y comunicarle lo que está haciendo. Tome nota de algunas fechas del calendario en las que se acostumbra a degustar platos especiales o intercambiar regalos, como fiestas patrias en las que se consuman productos regionales, fiestas y eventos relacionados con el turismo y la promoción de la localidad en la que usted reside, eventos de participación masiva en su localidad (carnaval, día de la primavera, etc.), o fechas especiales (día de la secretaria, de la madre, del amigo, etc.).

Hay varias formas de difundir lo que hace de manera simple y económica, dentro de la zona a la que usted puede llegar. Por ejemplo, con volantes o folletos que distribuya en mano, en los comercios de la zona o dentro de los periódicos. Los medios de comunicación "zonales" (pequeños periódicos o radios) suelen tener tarifas muy accesibles. Diseñe avisos claros y atractivos, indicando de qué tipo o variedad son sus conservas, su calidad de artesanales, si son orgánicas o light (en caso de que lo sean), dónde y cómo se consiguen, y un teléfono, página de la red o dirección electrónica si los tiene (por si alguien quiere encargarle productos por esta vía).

Cómo vender y entregar sus conservas

Estos aspectos son mucho más importantes de lo que parecen. Porque si no planifica una forma sencilla y económica de distribución y venta, estará limitada a los lugares donde acceda por sus propios medios, o al que lleguen sus clientes al pasar. Analice si va a realizar la venta particular y por sus propios medios, en lugares especiales, como una feria o mercado de alimentos, o contará con vendedores (una buena alternativa es contactar a los corredores que se dedican a vender diferentes productos –frutos secos, panificados, tés, etc.– en los locales del ramo). También puede contactar a comercios minoristas de la zona, o buscar un mayorista o distribuidor. Finalmente, hoy existe otro canal de venta y distribución nada desdeñable: Internet.

- **La venta particular**

En una primera etapa puede comenzar ofreciendo "puerta a puerta", o a sus allegados. Esta forma tiene la ventaja de ser económica y brindar un toque personalizado a la atención. Aproveche para conocer a sus clientes y conversar con ellos sobre sus intereses y necesidades, para mejorar cada vez más lo que ofrece o generar nuevas recetas en función de la demanda.

Con cada tarro o frasco de conservas, entregue un folleto o catálogo con sus datos y ofertas. Incluso, puede agregarles consejos para resaltar los sabores, para servirlos o presentarlos, etc. Sea cuidadosa y lleve un registro de las entregas, pedidos y pagos.

- **Los vendedores**

A veces resulta complicado estar "en la cocina" y al mismo tiempo manejar la venta y la entrega, de por sí, gestiones que demandan mucho tiempo y esfuerzo. Además, es difícil ofrecer, negociar y cobrar la producción propia, porque suele haber un vínculo afectivo muy fuerte con el producto final. Si prefiere dedicarse en forma exclusiva a la producción, contrate vendedores: un buen vendedor puede descubrir nuevos mercados, conseguir pedidos más importantes y mejores formas de pago. Trate de contratar a quien ya venda productos afines a los que usted hace (como los corredores que abastecen a las dietéticas, almacenes y demás comercios del ramo, por ejemplo), para que sume sus conservas a lo que ya está ofreciendo y le aporte la red de clientes propios.

Los vendedores suelen cobrar un importe fijo para cubrir sus gastos de movilidad, y un porcentaje que se pacta de entrada sobre lo logrado en cada venta (a la hora de determinar el precio de cada frasco de conservas, esto debe considerarse un gasto variable; otra opción es que usted lo venda al mismo precio de siempre, y el vendedor le sume su porcentaje de ganancia).

• El comercio minorista

Ármese de muestras, de catálogos y de... ¡valor! Trate de conseguir una entrevista con los dueños o encargados de hoteles, restaurantes, dietéticas, almacenes o casas de productos "gourmet", etc. Preséntese con un catálogo completo y atractivo, con la foto, la descripción de cada conserva, el precio y las condiciones de entrega.

Lo ideal es dejárselo al encargado o responsable de la compra con una pequeña porción de sus productos de regalo, para que pueda evaluar la mercadería. A continuación, avísele que pasará en una o dos semanas a retirar su catálogo y aproveche esta oportunidad para intentar concretar una primera venta.

Tenga en cuenta que el comerciante les impondrá un valor mayor, para quedarse con ese margen como su ganancia. Averigüe cuál es el recargo que le impondrá y evalúe si le conviene bajar un poco su precio, de este modo no subirá demasiado el costo final al cliente.

Elija aquellos comercios que vendan la misma rama de productos que usted ofrecerá, pero también otros a los que llegue su "cliente ideal": casas de productos regionales, el comercio de obsequios en los hoteles, etcétera.

• El mayorista o distribuidor

Estos comercios proveen mercaderías a otros comercios de menor tamaño. Si ofrece sus conservas a un mayorista o distribuidor tendrá que bajar sus precios, ya que ellos a su vez los van a incrementar para que la operación les resulte beneficiosa. Además, seguramente le pedirán diferentes documentos legales (facturas, certificados de elaboración según las normas vigentes, y de inscripción en organismos de salud, etc.). De todos modos, puede resultar un muy buen negocio, por la gran cantidad de unidades o kilogramos de conservas, que pueden comprarle. Por otro lado, a través de distribuidores podrá llegar a lugares muy distantes, y abrir nuevos mercados antes impensados.

• Internet

La ventaja de vender a través de la red es que permite reducir mucho los costos variables, pues alcanza con subir la información a la página, sin necesidad de invertir en folletos o catálogos, vendedores, muestras, etc. Sin embargo, diseñar una página para promocionar y vender sus accesorios tiene sus secretos. No dude en llamar a un especialista, es imprescindible si pretende obtener beneficios de esta modalidad de venta. Defina claramente cuáles son sus productos, los clientes a los que se dirige y las condiciones de venta y entrega. Prepare un catálogo en línea con buenas imágenes, información general sobre los diferentes tipos de conservas, sus materias primas, el cuidado a la hora de la elaboración, recetas o sugerencias para acompañarlas, y un programa que le permita recibir los pedidos.

Tabla de conversiones

Sólidos

MÉTRICO	IMPERIAL (onzas)	IMPERIAL (libras)	TAZAS Y CUCHARADAS
1 kilo (kg.)	35,27 onzas (oz.)	2,20 libras (lb.)	5 tazas
10 gramos (g.)	0,35 onzas (oz.)	0,02 libras (lb.)	2 cucharaditas
200 gramos (g.)	7,05 onzas (oz.)	0,44 libras (lb.)	1 taza
14,3 gramos (g.)	0,50 onzas (oz.)	0,03 libras (lb.)	1 cucharada
28,4 gramos (g.)	1 onza (oz.)	0,06 libras (lb.)	2 cucharadas
284 gramos (g.)	10 onzas (oz.)	0,62 libras (lb.)	20 cucharadas

Líquidos

MÉTRICO (centímetros cúbicos)	MÉTRICO (litros)	IMPERIAL (onzas líquidas)
100 centímetros cúbicos (c.c.)	100 mililitros (ml.)	3,38 onzas líquidas (fl.oz.)
1000 centímetros cúbicos (c.c.)	1 litro (l.)	33,81 onzas líquidas (fl.oz.)
236,6 centímetros cúbicos (c.c.)	236,6 mililitros (ml.) (1 taza)	8 onzas líquidas (fl. oz.)
30 centímetros cúbicos (c.c.)	30 mililitros (ml.)	1 onza líquida (fl. oz.)

Glosario

Aceitunas: olivas.
Albaricoques: damascos, chabacanos.
Almíbar: jarabe.
Almidón de maíz: fécula de maíz, maicena.
Azúcar morena: azúcar negra.
Azúcar pulverizada: azúcar impalpable, azúcar glass.
Bandeja para horno: placa o charola para horno.
Bizcochos: galletas, galletitas.
Bol: tazón.
Cacerola: olla, cazo.
Calabaza: zapallo.
Céster: cuchillo decorador de cítricos.
Chiles: ajíes picantes.
Cocinar: guisar, cocer.
Cornet: cornette, rasqueta.
Cremor tártaro: aditivo que da más consistencia a las claras.
Esencia de vainilla: extracto de vainilla.
Extender (la masa): estirar.
Fresas: frutillas.
Ganache: mezcla de chocolate y crema.
Glaseado: baño de azúcar pulverizada.
Hueso (de fruta): carozo.
Jengibre: tubérculo de sabor ligeramente picante.
Manga: bolsa con punta, pico o boquilla.
Maní: cacahuate, cacahuete.
Mantequilla: manteca.
Masa: pasta.
Melocotón: durazno.
Olla: cacerola, cazo.
Paño: lienzo.
Papel absorbente: toallas de papel.
Papel encerado: papel manteca.
Pastel: torta, queque.
Pelador de verduras: pela papas, pela patatas.
Pelar: mondar.
Película plástica: papel film.
Plantillas: vainillas.
Pimentón: páprika.
Pimiento molido: ají molido.
Pimientos: ajíes dulces, pimentones, morrones.
Pisa papas: prensa papas.
Plátano: banana.
Procesador de alimentos: procesadora.
Queso blanco cremoso: queso crema.
Refrigerador: heladera, nevera, frigorífico.
Sésamo: ajonjolí.
Tamizar: colar, cribar.
Tazón: bol.
Tocino: panceta, tocineta.
Tomates: jitomates.